Mar

CONNEXION

RENCONTRE AVEC SOI-MÊME
ET LA VIE

Le Dauphin Blanc

CONNEXION

Catalogage avant publication de Bibliothèque et Archives nationales du Québec et Bibliothèque et Archives Canada

Beaudet, Marc, 1971-
    Connexion : Rencontre avec soi-même et la vie
    ISBN 978-2-89436-839-8
    I. Titre.

PS8603.E334C66 2016   C843'.6   C2016-941492-2
PS9603.E334C66 2016

Avec la participation financière du gouvernement du Canada.   **Canadä**

Nous remercions la Société de développement des entreprises culturelles du Québec (SODEC) pour son appui à notre programme de publication.

Gouvernement du Québec — Programme de crédit d'impôt pour l'édition de livres — Gestion SODEC.

Idée originale et concept de la couverture : Marc Beaudet
Infographie de la couverture : Marjorie Patry
Mise en pages : Josée Larrivée
Révision linguistique : Amélie Lapierre
Correction d'épreuves : Denis Ouellet

Éditeur :   Les Éditions Le Dauphin Blanc inc.
             Complexe Lebourgneuf, bureau 125
             825, boulevard Lebourgneuf
             Québec (Québec) G2J 0B9 CANADA
             Tél. : (418) 845-4045   Téléc. : (418) 845-1933
             Courriel : info@dauphinblanc.com
             Site web : www.dauphinblanc.com

ISBN version papier : 978-2-89436-839-8
ISBN version numérique epdf : 978-2-89436-840-4
ISBN version numérique epub : 978-2-89436-841-1

Dépôt légal :   4ᵉ trimestre 2016
                 Bibliothèque nationale du Québec
                 Bibliothèque et Archives Canada
Données de catalogage disponibles auprès de Bibliothèque et Archives nationales du Québec.

Imprimé au Canada

Limites de responsabilité

L'auteur et la maison d'édition ne revendiquent ni ne garantissent l'exactitude, le caractère applicable et approprié ou l'exhaustivité du contenu de ce programme. Ils déclinent toute responsabilité, expresse ou implicite, quelle qu'elle soit.

À Raphaël et Alexis, mes fils,
qui ont découvert leur vraie connexion
à notre premier été au chalet...
et à tous ceux qui découvriront la leur.

Chapitre 1

La cloche annonçant la fin des classes venait à peine de sonner que nous étions déjà en route pour nos vacances estivales. Nous avions cinq heures de route à faire avant notre arrivée.

Mes parents avaient loué un chalet situé en bordure du fleuve Saint-Laurent, dans un village appelé Trois-Pistoles, au cœur d'une région du Québec que l'on appelle communément le Bas-Saint-Laurent. Loin du tumulte et du stress de Montréal, la grouillante métropole, ma mère était convaincue de l'effet thérapeutique de telles vacances sur nous trois. Les sapins verts remplaceraient les cônes orange et l'air salin, le smog urbain.

Elle ne cessait de nous répéter que les grands espaces feraient un grand bien à tout le monde. Pour l'instant, j'étais assis sur la banquette arrière du véhicule de mon père, coincé entre les cannes à pêche, les valises, la glacière et la cage de transport à félin, et mon espace était plutôt… restreint.

— Tu vas voir, mon Chat (c'est ainsi que ma mère me surnommait affectueusement), qu'un été au bord du fleuve nous fera rajeunir de vingt ans ! Vingt ans ! me dit ma mère, assise sur le banc du passager, à l'avant, et retournée vers moi tandis que nous venions de dépasser les ponts de la ville de Québec sur l'autoroute Jean-Lesage.

Comme d'habitude, je ne répondis pas. Les deux yeux rivés sur ma nouvelle tablette numérique fraîchement déballée, je m'appliquais à la démarrer, à installer mes applications et à écrire des messages à mes amis sur Facebook. Je venais de la recevoir en cadeau de mes parents pour l'obtention de mon diplôme collégial. J'utilisais la connexion partagée de mon téléphone cellulaire.

— Mon Chat ? me répéta ma mère sur un ton plus sévère, désespérée par mon manque d'attention.

— Ouais, ouais, lançai-je pour lui signifier que j'avais bien compris ce qu'elle avait dit.

— Mon chat, quand je te parle, j'aimerais que tu me regardes, dit-elle sur un ton insistant.

— Ouais, ouais, regarde… la garde côtière, lui dis-je nonchalamment.

Dans un élan qu'elle avait répété plusieurs fois dans le passé, ma mère étendit le bras droit et allongea son index, qui arborait une belle manucure toute fraîche, et pressa le bouton « Power » sur le dessus de ma tablette numérique. Mon écran devint alors tout noir et mon attention se porta immédiatement sur la responsable du drame.

— Hé ! Le téléchargement de mes nouvelles applications n'était pas terminé ! Et je n'ai rien sauvegardé…

Mon affirmation lui coula comme de l'eau sur le dos d'un canard. Ma mère sourit et poursuivit :

— Alors, comme je te le disais, mon Chat, des vacances paisibles au bord du fleuve, cet été, nous feront rajeunir de vingt ans ! C'est prouvé que les gens en région rurale vivent plus longtemps. La nature et les grands horizons prolongent l'espérance de vie.

— Vingt ans de moins, vingt ans de moins… Maman, j'ai dix-neuf ans seulement. À la fin de l'été, j'aurai moins un an ? lui répondis-je, les bras croisés, la tête penchée et le regard assombri, comme un enfant de deux ans à qui l'on a dit non.

— Minou ? (Ça, c'était le surnom qu'elle avait donné, tout aussi affectueusement, à mon père… Décidément, ma mère avait un petit quelque chose avec la race féline !) Tu ne trouves pas que notre Chat est drôle ? Moins un an… Ha ! Ha ! Ha ! lança ma mère à mon père qui se concentrait sur la route sinueuse longeant le fleuve.

— Ouais, ouais, lui répondit machinalement mon père.

Des miaulements répétés et des lamentations venant de la cage de transport à félin accompagnèrent les chansons à la radio jusqu'à la fin du voyage. Sans même savoir si nous approchions de notre destination, je pouvais deviner, par le style musical à la radio, que nous étions en milieu rural... La musique pop de Bruno Mars avait laissé sa place à la musique country de Patrick Norman en moins de cinq cents kilomètres de route.

— «Ne laisse pas passer la chance d'être aimé...»

— Miaouuu...

Je devinais aussi que nous entrions dans une zone rurale parce que l'écran de mon téléphone cellulaire indiquait: «Aucun réseau disponible». Mon cellulaire avait rendu l'âme et je n'avais plus de connexion avec le reste du monde.

Deux heures et quelque deux cents kilomètres plus tard, nous arrivions à destination. La noirceur était déjà installée et l'éclairage de rue était tamisé. Descendant une longue côte menant vers le quai, on distinguait à peine le nom des rues sur les panneaux. Un léger brouillard rendait la lecture encore plus difficile. Enfin, au bout de la côte, mon père tourna vers la gauche et je pus lire l'écriture sur un rectangle métallique blanc légèrement tordu: «Chemin du Havre».

Chapitre 2

L e chemin du Havre était une toute petite rue étroite qui longeait la rive sud du majestueux fleuve Saint-Laurent à Trois-Pistoles. Malgré le faible éclairage, on pouvait voir les magnifiques chalets rustiques qui se succédaient sur le côté droit du chemin et l'eau du fleuve entre ceux-ci. On aurait dit des sardines entassées tellement la distance entre eux était mince. Ils me rappelaient les maisons sur la côte ouest américaine, à San Fransisco, comme on voit sur les cartes postales. Des aménagements paysagés et des fleurs ornaient la devanture des terrains. Mes parents ont toujours eu bon goût…

— On est arrivés ! s'écria ma mère alors que l'auto s'arrêtait en bordure du chemin, devant une clôture de bois blanche.

— Miaouuu… se lamenta la petite bête dans la cage.

— Wow ! Génial ! s'exclama mon père.

Levant les yeux, j'aperçus alors le chalet.

— Hein? C'est ça, votre chalet? On dirait un cabanon! Notre remise de jardin est plus grande que ça...
Vous voulez passer l'été ici? Sérieux? Et le grenier doit
être infesté de souris...

Ma mère, tout émerveillée, me répondit:

— Attends, mon Chat. Demain, en plein jour, tu verras
qu'il est beaucoup plus grand qu'il en a l'air.

— Miaouuu... Miaouuu...

— À côté des autres chalets, il a l'air d'une «bécosse»!
lui dis-je.

— Miaouuu!

— Mon Chat, puisque tu parles de bécosse, je crois
que Jules a envie de faire ses besoins. Cinq heures de
route, enfermé dans une cage, pauvre lui... Peux-tu le
sortir, s'il te plaît, mon Chat? me demanda ma mère tout
en sortant les valises et les boîtes de l'auto.

Jules, c'est notre animal de compagnie depuis
treize ans. Un vieux chat roux avec qui j'ai grandi. Jules,
en fait, est le seul que l'on appelle par un prénom dans
notre famille. Ma mère appelle mon père «Minou» et
moi «mon Chat». Mon père appelle ma mère «Bé»

(diminutif de bébé) et moi l'«Héritier». Moi, j'appelle ma mère «M'ma» et mon père «P'pa». Jules est donc le seul à avoir un prénom. C'est bizarre, mais c'est comme ça.

Je pris alors la cage de transport et la déposai près de la clôture blanche.

— Allez, sors, Jules! lui dis-je en ouvrant le grillage de ce qui lui avait servi de cachot au cours des cinq dernières heures.

Jules resta dans la cage, immobile, à me regarder d'un air penaud.

— Miaouuu!

— Je te comprends, Jules. Tu serais resté à la maison. Viens…

Je me penchai et lui flattai le dessus de la tête et le derrière des oreilles pour le rassurer. Je le pris dans mes bras et il s'accrocha à mon épaule droite avec ses pattes qui n'avaient plus de griffes. Il était nerveux et traumatisé du voyage qu'il venait de subir, enfermé dans un espace de trente centimètres sur cinquante centimètres. Je le sentais aussi inquiet. Pour la première fois de sa vie de félin, il débarquait dans un endroit qu'il ne connaissait pas, loin de l'environnement douillet et rassurant de notre maison. Il avait perdu ses points de repère.

— J'aurais aimé mieux rester à la maison, moi aussi, à jouer à des jeux vidéo en ligne ou à me connecter avec mes amis sur ma tablette… Ma tablette ? En ligne ? me dis-je à voix haute.

Surpris par le *flash* qui m'était tombé du ciel, je me précipitai vers la voiture et fouillai dans mon sac à dos d'école. Jules était toujours agrippé à mon cou.

— Ben oui ! Pourquoi n'y ai-je pas pensé plus tôt ? me répétai-je, le sourire en coin. Ah ! La voilà !

Je sortis mon bien le plus précieux du monde de mon sac : ma tablette numérique. Le niveau de ma batterie était encore à 30 %. Je poussai alors le bouton d'allumage.

— Non ! Ce n'est pas vrai ! Réseau indisponible ! Misère !

J'étais « foutu ». Pas de réseau Internet disponible. Dans un petit cabanon, au milieu d'un trou perdu pour tout l'été. Sans connexion Internet. L'été sera long. Très long.

Dans la quasi noirceur totale de la rue, je me mis donc à marcher, désespéré, agitant les bras dans les airs, la tablette numérique dans les mains, à la recherche d'un peu de connexion avec la civilisation. La lumière de mon écran se reflétait sur mon visage et l'on pouvait apercevoir des moustiques qui tournaient autour de ma tête. À gauche, à droite, en haut, en bas… Je n'arrivais pas à établir une connexion à un réseau Wi-Fi. J'arpentais le chemin du Havre, le traversant sans même savoir où j'allais ni même si des voitures roulaient dans ma direction.

Soudainement, sortie de l'ombre, une femme d'au moins quatre-vingts ans déambulait tranquillement avec une « marchette », sur le côté de la rue. Les épaules frêles et le dos courbé, elle me regardait d'un drôle d'air par-dessus ses lunettes qui étaient descendues sur le bout de son nez. Elle se gratta la tête par-dessus son béret brun de sa main gauche. Je devais avoir l'air d'un extraterrestre avec le faisceau lumineux qui entourait ma tête, un foulard en peau de chat autour du cou.

— Bonsoir, jeune homme ! Qu'est-ce que vous faites si tard à marcher les bras dans les airs et à parcourir la rue de long en large ? me demanda la femme à la chevelure blanche.

— Euh… bonsoir, madame. Euh… je cherche… je cherche un réseau. Savez-vous où je peux en trouver un ? lui répondis-je.

Elle enleva son béret de sa main gauche et, cette fois, se gratta directement la tignasse. Elle réfléchissait en marmonnant.

— Ah oui ! Un réseau ? Ben certain, mon jeune ami… Au quai ! Au bout du chemin du Havre, tu tournes à gauche après la grosse maison orange et tu continues jusqu'au bout. Quand tu arrives au muret de ciment, tu devrais trouver, m'expliqua la vieille dame en pointant du menton de petits coups saccadés vers le quai.

Elle venait à peine de finir de me prodiguer ses conseils que je partis à la course en direction du quai. Jules eut à peine le temps de sauter par terre et de me lancer un «pscht!» en guise de désapprobation.

— Merci, m'dame!

— De rien, le jeune!

Avec le peu d'éclairage que pouvait me fournir l'écran de ma tablette, je réussis à me rendre à l'intersection où j'avais lu: «Chemin du Havre». Effectivement, il y avait une grosse maison orange, centenaire en plus, si l'on en jugeait par le toit en petites planches de cèdre noires et une galerie qui faisait quasiment le tour de la maison. Au coin du chemin, sur un monument représentant une grosse croix, on pouvait lire: «En hommage au roi de France, 1934».

— À gauche de la maison orange, m'avait-elle dit...

J'étais dans la bonne direction et à quelques pas d'une connexion.

Les bras toujours dans les airs, tablette dans les mains, j'avais l'air d'un passionné d'astronomie et d'étoiles qui prenait en photo le spectacle que nous donnait le ciel. Dans l'obscurité, il y avait des milliers d'étoiles mais pas d'astronome amateur. Juste moi qui cherchais désespérément un réseau pour me connecter au reste du monde.

Poursuivant ma route, j'arrivai finalement au bout du quai, cherchant de peine et de misère à obtenir un signal venant de l'au-delà virtuel... *Niet*. Rien. Pas une seule onde disponible... Je récitai alors tous les mots d'église que je connaissais sans en connaître le sens. Comme si ces mots allaient me permettre de retrouver une connexion. Ma frustration était de plus en plus grande.

Près du muret de ciment, sans même l'avoir remarqué, les yeux rivés sur mon écran, un vieux pêcheur s'affairait à remonter sa ligne et à ranger son arsenal de pêche dans son coffre. Il s'approcha alors de moi et me fit sursauter en me disant :

— Cherchez-vous quelque chose, jeune homme ? Vous photographiez les moustiques autour de votre tête ou la constellation de la Grande Ourse ?

— Hé... vous m'avez fait peur !

— Désolé...

— Je... Je... On m'a dit que je pourrais trouver un réseau ici, mais on dirait bien que non, lui lançai-je, découragé.

— Un réseau… Certainement. Il y en a un. Mais il part, il revient… ça dépend des jours. Ça dépend des conditions météo aussi.

— Ah oui ? Mais…

— Mais, pas ce soir… Reviens demain matin, en milieu d'avant-midi. On annonce du beau temps et une belle journée. Des conditions parfaites pour que le réseau soit au rendez-vous.

Je remerciai le vieux pêcheur de mon plus grand sourire et repartis, la tablette sous le bras, confiant en la suite des choses.

Chapitre 3

Le lendemain matin, je me réveillai avec le cœur qui battait à cent à l'heure. Le long bruit d'un klaxon gras venait de retentir et me fit sursauter de mon lit dans ma nouvelle chambre estivale. Jules, couché en boule à mes pieds, sursauta lui aussi et s'enfuit en me crachant encore son désaccord : « Pscht ! »

De mon lit, j'étendis les bras et j'ouvris les rideaux blanc crème qui empêchaient la lumière de pénétrer dans ma chambre au deuxième étage du chalet. Je me frottai les yeux encore collés pour mieux voir ce qui m'avait sorti de mon sommeil de façon aussi brutale. Un immense navire amarré au quai venait de donner le signal de départ à ses voyageurs. Plus tard, dans l'été, j'appris que l'on appelait ça un « traversier ». Il amenait les voitures et les voyageurs de l'autre côté du fleuve Saint-Laurent. Ce traversier était si énorme que l'on aurait dit un paquebot tellement le quai avait l'air petit à ses côtés.

— Le quai ! m'exclamai-je.

Je sautai en toute hâte hors de mon nouveau lit pour aller ouvrir ma tablette et regarder quelle heure il pouvait bien être.

— Onze heures trente! Nooon!

L'avant-midi était déjà passé et le vieux pêcheur m'avait bien spécifié «en milieu d'avant-midi». J'étais en retard à ma première journée de vacances! Assis au pied de mon lit, j'en profitai pour vérifier le niveau de connexion du réseau Internet... Rien à faire, il demeurait indisponible.

Sans prendre le temps de déjeuner, je remis les mêmes vêtements que la veille, pris ma tablette et descendis à la course les escaliers recouverts d'un tapis bleu qui contrastait avec les planches de chêne beiges des murs et du plafond.

Je sortis du «chalet-cabanon», montai les escaliers de pierres des champs qui menaient au chemin du Havre et refis le chemin emprunté la veille dans la noirceur quasi totale.

— Au bout de la rue, après la grosse maison orange au toit noir, à gauche, et jusqu'au bout du quai, au muret de ciment, me parlai-je à moi-même, haletant au pas de course.

Je tournais donc à gauche sur la rue qui menait au quai quand j'entrevis sur l'eau un homme avec des lunettes de soleil sport et un *wetsuit* moulant, assis dans un kayak jaune, qui m'envoyait la main. Je reconnus alors le chapeau d'explorateur vert kaki avec un cordon sous le menton. C'était mon père qui pagayait tranquillement dans la petite baie du quai et qui tentait d'apprivoiser les mouvements du kayak qu'il avait trouvé dans le sous-sol du chalet.

— Salut, l'Héritier! me cria-t-il en portant sa main à sa bouche pour faire de l'écho.

— Salut, P'pa! lui répondis-je en me faisant la réflexion qu'il était motivé à se remettre en forme à la première journée de vacances.

— Comme c'est beau à voir... mon fils qui se remet en forme en faisant du jogging à sa première journée de vacances! lança-t-il au kayakiste inconnu qui était tout près de lui.

Je poursuivis ma course sans me retourner.

Arrivé enfin au début du quai, je pris ma tablette, enfonçai le bouton de démarrage et attendis que l'appareil se mette en marche. Je continuai de marcher et les icônes apparurent à l'écran, sauf le symbole le plus important: celui indiquant qu'une connexion Internet était disponible!

Je repris alors les mêmes mouvements de haut en bas, de gauche à droite avec mes bras, mais absolument rien ne se passait. Aucun signal. J'accélérai le pas et, sans même m'en rendre compte, j'avais parcouru la distance totale du quai et j'étais de retour à l'endroit exact où j'avais fait la connaissance du vieux pêcheur. On aurait dit que j'effectuais un rituel de danse amérindienne avec mes mouvements de bras dans les airs, à la recherche du moindre signal virtuel.

— Ça va, le jeune ? me lança alors une voix que j'avais déjà entendue.

C'était le vieux pêcheur de la veille, assis sur sa petite chaise pliante verte, canne à pêche à la main. Même casquette défraîchie des Red Sox de Boston. Même chemise à carreaux bruns, verts et rouges. Il portait un pantalon cargo beige tournant au brun tellement il semblait sali de terre et de restants de vers. De grosses bottes en caoutchouc noir lui montaient jusqu'aux genoux.

— Ah ! Bonjour ! Vous passez vos journées ici ? lui dis-je en continuant de bouger ma tablette vers le ciel. Je cherche encore un réseau, vous m'aviez dit que je pourrais le trouver ici, ce matin.

— T'es à la bonne place, mon jeune ami… Lève les yeux de ton écran et regarde devant toi.

Je baissai alors les bras et levai les yeux devant moi.

Quatre pêcheurs étaient alignés sur le bord du quai, assis sur leur petite chaise pliante, penchés sur leur canne à pêche qui pointait vers l'eau en attente d'une touche d'un poisson. Avec le vieux pêcheur rencontré hier soir, je comptais cinq pêcheurs dans mon champ de vision.

Ils se mirent alors à se présenter à tour de rôle, comme s'ils me chantaient une chanson à répondre.

— Salut, l'jeune ! Moi, c'est Jean.

— Salut mon ami ! Marc « pour vous servir ».

— Moi... Luc !

— Mathieu ! Mais tout le monde m'appelle « Mat ».

Jean, Marc, Luc et Mathieu. Je me fis la réflexion que j'avais devant moi quatre apôtres. Il ne manquait que Jésus.

Le seul qui ne s'était pas encore présenté était le vieux pêcheur de la veille. Il allait ouvrir la bouche quand Mathieu lui lança :

— Hé ! Ti-Paul, tu es maintenant ami avec un « long cou » ?

— Un long cou ? répondis-je, surpris... Et vous vous appelez « Paul » ? (Certainement cinq apôtres, me fis-je encore la réflexion.)

— Il est arrivé hier soir, tard… Il cherchait un réseau, répondit le vieux pêcheur Paul. Et oui, mon nom, c'est «Paul»… ou «Ti-Paul» pour les gens du village.

Le groupe de pêcheur se mit à sourire.

Je compris alors ce que le vieux pêcheur Paul m'avait dit la veille.

— Non, je parlais d'une connexion Wi-Fi… Un réseau Internet… un vrai réseau sans fil!

— Tu te trompes, le jeune, répliqua-t-il. Ce que t'as devant toi, c'est un vrai réseau!

Les vieux pêcheurs se mirent alors à marmonner tous en même temps et celui qui se prénommait Luc dit:

— Ce n'est pas un long cou, il est dans la catégorie des zombies. Tu sais, les morts-vivants…

— Un long cou, un zombie, des morts-vivants? dis-je spontanément sans rien comprendre de ce que je venais d'entendre.

— Ils te taquinent, le jeune, poursuivit le vieux pêcheur Paul.

— Votre réseau a l'habitude de rire des jeunes et des touristes… On devient la risée de votre réseau, ici? C'est ça? maugréai-je en éteignant ma tablette numérique.

Le vieux pêcheur, voyant que je n'étais pas très chaud à l'idée de m'affubler des qualificatifs de *long cou*, de *zombie* ou de *mort-vivant*, me dit :

— Ne t'en fais pas avec ça. C'est comme ça qu'on appelle les jeunes de ta génération, ici. « Longs cous », pour nous, les vieux, est le surnom qu'on donne aux jeunes qui passent tellement de temps devant leur tablette numérique qu'on dirait que leurs vertèbres du cou s'étirent et s'étirent... Ils en arrivent à ressembler aux dinosaures appelés « diplodocus » ou « brachiosaures ». Des longs cous...

— Et les zombies, les morts-vivants ? lui demandai-je.

— Ah ! Pour ce qui est des zombies et des morts-vivants, c'est simple. Les jeunes de la génération « Tablette » sont tellement absorbés par leur écran que plus rien n'existe autour d'eux. On dirait qu'ils sont complètement absents, et même plus, inconscients de ce qui les entoure. On les croirait sans vie.

Il continua son explication :

— Une baleine à bosse pourrait sauter hors de l'eau en face de nous et passer par-dessus le quai qu'un zombie assis sur le muret de ciment, le regard plongé dans sa tablette, n'aurait même pas conscience du merveilleux spectacle que ce mammifère nous aurait donné.

— Vous n'exagérez pas un peu, là ? lui dis-je.

— Ce n'est qu'une illustration, une caricature…

Ses camarades s'esclaffèrent. Le vieux pêcheur Paul renchérit :

— Bon, O.K. J'exagère un peu, mais disons plutôt qu'une femme vêtue d'un bikini et de bottes à pêche lance sa canne à pêche à l'eau au quai…

— Pouah ! Ha ! Ha ! Ha ! (Le réseau était en délire.)

La bande de vieux pêcheurs n'en pouvait plus. Les tapes sur les cuisses et les rires gras résonnaient au quai. L'un des pêcheurs devait être un gros fumeur tellement il ne pouvait s'empêcher de tousser.

— Sacré Ti-Paul ! Toujours le don d'amplifier les histoires. Un vrai pêcheur !, lança Jean, presque sur le point de s'étouffer de rire.

Marc répliqua :

— Si jamais je vois ça de mon vivant, je pêche en caleçon *Fruit of the Loom* bleu poudre, avec mes bottes en caoutchouc, sur le quai, en pleine heure d'embarquement du traversier. En sous-vêtement, je vous le promets !

— LOL ! lui dis-je spontanément, le sourire aux lèvres.

— Hein ? LOL ? répondirent-ils tous en chœur.

— Ah, laissez-faire… je me comprends.

Le réseau des vieux pêcheurs se mit à discuter de leurres et de potins du village quand, soudainement, sans même crier gare, Paul s'exclama :

— Attention, les gars ! Il arrive ! Chut…

Chapitre 4

Sur l'ordre du vieux pêcheur Paul, la meute de taquineurs de poissons se tut et le silence envahit le quai. On pouvait entendre les mouches voler. En réalité, je dirais plutôt que l'on entendait voler un héron. Devant nous, à une vingtaine de mètres, flottait dans les airs un majestueux Grand Héron. Ses ailes étaient déployées et l'oiseau était prêt à l'amerrissage. Ses deux grandes et minces pattes étaient allongées vers le devant.

Le spectacle était saisissant. Bout à bout, ses ailes devaient faire plus de deux mètres de large. Avec son cou, semblable à celui d'une girafe, mais à plumes, il nous donnait l'impression qu'il était au-dessus de ses affaires. Grandes pattes minces, petit corps et long cou. On aurait dit un adolescent en pleine croissance.

Aussi loin que je puisse me rappeler, je n'avais jamais vu ce grand oiseau en vrai, ou peut-être au Biodôme de Montréal, lors de notre visite annuelle scolaire. C'est pour cette raison que je connaissais son nom. Là, c'était différent. Il n'y avait pas de vitre entre nous.

Au contact de ses pattes sur l'eau, le Grand Héron poussa un cri digne du film *Le parc jurassique*. Un cri rauque, long et caverneux, comme s'il nous avisait de son arrivée. Il replia ses ailes et s'immobilisa, l'eau lui arrivait à la moitié des pattes.

— Ah! Ça, c'est un «long cou» pour moi! m'écriai-je aux pêcheurs.

— CHUUUTTT! répondit à l'unisson le réseau.

— Pardon…

Je me tus, surpris par le ton autoritaire de la réponse.

Le Grand Héron se mit alors à avancer, tranquillement, sortant ses grandes échasses de l'eau, sans faire d'éclaboussure. On aurait dit qu'il pratiquait du taï-chi aquatique tellement ses mouvements étaient lents.

— Mais qu'est-ce qu'il…

— Chuuuttt!

Les vieux pêcheurs étaient intransigeants. Le silence était la norme au quai.

L'oiseau à l'allure préhistorique s'immobilisa à nouveau et étira son cou, approchant sa tête près de la surface de l'eau. La tête légèrement tournée, son œil droit fixa l'eau. Sans prévenir, un « splash ! » retentit sur le fleuve.

À la vitesse de l'éclair, le Grand Héron avait plongé sa tête dans le fleuve. Seuls son cou et sa tête avaient bougé. Son bec pointu avait fendu la surface de l'eau sans la moindre éclaboussure. Tel un plongeur olympique.

Le grand héron ressortit aussitôt sa tête de l'eau, mais cette fois en prenant soin de faire jaillir le plus d'eau possible. Il secoua sa tête et allongea son cou à son maximum, bec pointé vers le ciel bleu. Il avait dans son bec un petit poisson d'à peine quinze centimètres, gris métallique, qui brillait au soleil et se tortillait dans tous les sens.

— Mais qu'est-ce qu'il a dans son…

— Chut ! Tu vas l'effrayer !

— O.K. D'accord…, leur répondis-je, les dents serrées.

Le spectacle silencieux se poursuivit encore. Le Grand Héron répéta son stratagème et engloutit quatre à cinq petits poissons qui lui servirent de dîner. Le réseau de vieux pêcheurs l'observa en silence jusqu'à ce que le volatile soit rassasié. Il redéploya ses ailes, plia ses grandes pattes menues pour se donner un élan et s'envola vers l'ouest, longeant la rive du fleuve. Ses pattes effleuraient presque l'eau.

— Bon, je peux parler, maintenant ? leur dis-je, pas habitué à un si long moment en silence.

Aucun des vieux pêcheurs ne me répondit. Sans même se consulter, ils prirent un élan arrière avec leur bras droit et lancèrent leurs cannes à pêche en direction de l'eau. On entendit le bruit coordonné des moulinets des cinq cannes à pêche qui déroulaient leur fil.

— Tsssiiisss ! Ploutche, ploutche, ploutche, ploutche, ploutche.

Simultanément, le bout de leurs lignes, armé d'une série d'hameçons appâtés de vers, toucha l'eau à l'endroit exact où le Grand Héron avait fait sa razzia de poissons. À la surface de l'eau, on pouvait distinguer cinq petits ronds qui étendaient leur circonférence. À environ deux mètres de distance chacun. Leurs lignes descendaient vers le fond de l'eau.

— Vous faites de la « pêche synchronisée » maintenant ? leur demandai-je ironiquement, étonné par leur façon de faire.

— Chut… Attends… chuchota Jean.

D'un élan commun, le bout des cinq cannes se mit alors à sursauter. Une après l'autre, les cannes à pêche nous donnaient l'indication qu'il y avait de l'activité à l'autre bout du fil. Les poissons étaient au rendez-vous.

Les cinq pêcheurs rembobinèrent leur moulinet en roulant le plus rapidement possible.

— Et voilà le travail! me dit Paul en remontant sa ligne qui gigotait sans cesse. Regarde-moi ces quatre beaux petits éperlans!

Quatre petits poissons d'environ vingt centimètres avaient mordu aux hameçons. Les appâts devaient être trop appétissants et ces éperlans n'avaient pu résister à ceux-ci, alignés sur un montage de six hameçons. Le vieux pêcheur poursuivit:

— Tu vois, jeune homme, tu as le plus bel exemple de ce dont je te parlais au sujet de ta tablette numérique.

— Hein, c'est quoi le rapport avec ma tablette? lui répliquai-je.

— Écoute, nous, les pêcheurs, devons être attentifs à tous les indices et les messages que nous donnent la faune et la flore. Et en particulier le Grand Héron! Si nous avions eu les yeux rivés sur une tablette numérique et que toute notre attention avait été portée sur une application où nous devions sauver une princesse des griffes d'un dragon, nous n'aurions jamais pu récolter ces beaux petits poissons en si peu de temps. En étant conscients de notre environnement, nous avons observé le Grand Héron qui, lui, sait où se trouve la nourriture. C'est aussi simple que ça.

Le vieux pêcheur me raconta alors sa théorie de la conscience de l'environnement tout en décrochant ses mini-trophées qui gigotaient dans ses grosses mains, la peau fendillée par l'eau salée et le froid du Bas-du-Fleuve.

Chapitre 5

— Imagine-toi, le jeune, que tu es un Grand Héron, entama-t-il. Un Grand Héron comme on vient d'en voir un en spectacle. Imagine- toi, toi, le Grand Héron, avançant lentement dans l'eau, l'estomac qui te gargouille.

— O.K.

— La pleine conscience de ton environnement est primordiale pour toi. C'est une question de survie pour toi.

Le vieux pêcheur Paul renchérit :

— Si toi, le Grand Héron, les deux pattes dans l'eau et une tablette numérique dans les mains, ou plutôt entre les plumes de tes ailes, tu as le cou plié en deux, les yeux rivés sur ton écran, tu ne vois pas une seule seconde le poisson qui te passe entre les pattes. Le seul poisson à un kilomètre à la ronde. Peut-être le seul et unique que t'aurais pu saisir et qui t'aurait servi de festin et qui aurait rempli ton estomac qui crie famine ! Mais, par ton inattention, tu passes à côté de ta chance de rassasier ta faim. C'est pour cette raison qu'en tant que Grand Héron, la pleine connexion à ton environnement est intimement liée à ta survie. C'est la même chose pour ce qui est des prédateurs qui occupent le même espace territorial que toi. Tu dois avoir des yeux tout le tour de ta tête. La survie, j'te dis. La survie…

Je répondis par des « hum » entre ses phrases en hochant la tête.

— Pour nous, les pêcheurs, le Grand Héron est Le pêcheur parfait. Il sait exactement où le poisson se cache. Il a une vision périphérique de son environnement, la tête à la surface de l'eau. Nous n'avons alors qu'à lancer nos cannes à cet endroit si nous voulons nous aussi avoir du poisson sur la table pour souper! conclut-il avec enthousiasme.

— Ben nous, en ville, nous avons la même chose. Ça s'appelle « la poissonnerie »! lui répondis-je du tac au tac.

Prenant une grande inspiration, le regard levé vers le ciel, le vieux pêcheur Paul poursuivit :

— Tu sais, mon jeune ami, c'est le drame de notre civilisation. L'Homme avec un grand H n'a plus l'instinct qui lui a permis de survivre jusqu'à aujourd'hui. Ou, du moins, il n'en a que de brefs souvenirs. Aujourd'hui, tout est emballé, scellé, aseptisé et, surtout, accessible. Tout est fait en fonction de l'efficacité et de la productivité.

Et c'est correct comme ça. Je verrais mal le citadin sortir du bureau à 16h pour aller pêcher ou chasser son repas… Même nos animaux domestiques ont perdu leur instinct. Ils mangent des céréales vitaminées, protéinées et emballées dans un sac acheté à l'animalerie. Ils n'ont plus à chasser pour survivre. Au son du sac de nourriture qu'on ouvre ou de l'ouvre-boîte qui grince sur la *canne* de nourriture, ils accourent et salivent déjà… Pavlov l'a prouvé!

À ces derniers mots, il termina de ranger tout son attirail dans son coffre à pêche et ramassa sa petite chaise pliante sous son bras. Il salua de la main son réseau qui lui rendit la pareille.

Nous commençâmes alors à marcher tranquillement vers le chemin du Havre, d'où j'étais arrivé, et nous nous arrêtâmes à la jonction des rues au bout du quai.

— Dis-moi, le jeune, si tu n'as rien à faire demain matin, on va à la chasse aux sangsues, les gars et moi. Je suis certain que tu aimerais ça… De toute façon, ta tablette ne te sert plus à rien ici…

— Aux sangsues? C'est quoi, ça?

— Tu verras… À 7h39 pile, au quai. Pas trois heures plus tard, sinon tu vas manquer ça!

— Je ne pense pas avoir quelque chose à mon agenda. Alors, c'est O.K.! Je vais régler mon «réveille-matin» sur ma tablette numérique pour 7 h 15 demain matin. Mais, au fait, Paul, pourquoi vous spécifiez 7 h 39 ?

— Ton réveille-matin sur ta tablette ? me lança-t-il, surpris, sans répondre à ma question.

— Oui, c'est une application sur ma tablette qui reproduit les mêmes fonctions qu'un réveil aux gros chiffres fluorescents, lui montrai-je, tout fier de pouvoir glisser mes doigts sur le lisse écran de ma tablette. Et pas besoin de connexion Internet pour qu'elle fonctionne cette fois-ci.

Quel plaisir j'eus de renouer, pendant quelques secondes, avec le contact numérique de mes doigts sur la tablette pour programmer mon alarme. C'était vraiment la seule chose que je pouvais faire pour l'instant avec ma tablette. Régler mon alarme pour le lendemain matin.

Il était 14 h déjà. En plein milieu de l'après-midi. On aurait dit que j'avais passé la journée entière au quai avec le réseau de pêcheurs, comme si le temps s'était arrêté ou, du moins, était au ralenti.

Ça devait être « à cause de l'air salin », ou quelque chose comme ça, comme disait ma mère.

Chapitre 6

Je repris donc le chemin du Havre que j'avais couru et parcouru deux fois depuis hier, mais, cette fois, je remis ma tablette dans la large poche droite de mon pantalon cargo. J'avais compris qu'il n'y avait rien à faire dans la quête d'un réseau Internet dans la parcelle de ce village. J'étais condamné à ne pas avoir de connexion ici, sur le chemin du Havre.

Résolu, les mains dans les poches, je marchais tranquillement vers le chalet en « bottant » la première roche qui se trouva sur mon passage. Et une autre. Et encore une autre plus loin. Et encore et encore.

À peine 25 mètres plus loin, je devais avoir botté 50 cailloux. Des petits, des gros, des minces. Surtout des minces. Aplatis. Il y en avait partout sur le chemin du Havre. Une invasion de roches minces et plates. Grises. Vraiment bizarre. Ils auraient dû nommer le chemin du Havre « le chemin des Roches-Plates ». Plus tard, au cours de l'été, je compris que ces roches plates tapissaient le bord de l'eau et que les locataires des chalets, surtout les enfants, se remplissaient les poches de ces trésors trouvés sur la rive du fleuve et faisaient le tri durant leur chemin de retour à la fin de la journée.

Pour la première fois depuis mon arrivée, j'avais remarqué un détail qui m'avait échappé lors de mes passages à pied sur le chemin du Havre. Cette rue avait quelque chose de particulier qu'aucune autre rue n'avait. Des roches venues du fleuve. Et parfois des coquillages aussi. J'avais pris conscience de ce détail parce que je n'avais rien d'autre à faire que ça. Je n'avais pas l'esprit occupé à tirer des boules de feu sur un château assiégé sur ma tablette numérique, à répondre à un message sur Facebook ou à chercher, les bras dans les airs et la tablette dans les mains, une connexion sans fil. J'étais là, à marcher tranquillement sur le chemin du Havre, la tête baissée, et conscient que sur l'asphalte, il y avait une concentration exagérée de roches plates. Comme m'aurait fièrement dit le vieux pêcheur Paul, j'étais «conscient de mon environnement».

Chapitre 7

— Salut, c'est moi ! m'exclamai-je en ouvrant la porte avant blanche et grinçante du chalet. Y a quelqu'un ?

En réponse à mon appel, pas un seul indice de présence humaine dans le chalet. Mes parents devaient être sortis marcher sur le bord du fleuve. Il n'y avait que le bruit des vagues qui fouettaient le muret de ciment de la terrasse du chalet.

— Miaouuu !

— Ah ! Salut Jules. C'est toi.

— Miaouuu !

— T'es seul ici, mon vieux Jules ? On t'a abandonné sans nourriture ? lui dis-je en réponse à son miaulement insistant et répétitif.

J'ouvris alors les portes du garde-manger de la cuisine et pris le gros sac de deux kilos de céréales vitaminées, protéinées pour chats obèses. Un *cocktail* nutritif pour les félins domestiques qui ne font que dormir et manger toute la journée. Je me mis à parler à Jules en lui versant une généreuse portion dans son plat vide en acier inoxydable près de son bol d'eau.

— Il a peut-être raison, le vieux pêcheur. Les animaux domestiques se sont humanisés et ont perdu leur instinct de chasse et de survie…

Mon chat, Jules, ronronnait comme un moteur de tondeuse tellement il était heureux de voir à nouveau une montagne de céréales dans son bol. Il avait déjà la tête dans sa nourriture avant même que j'aie fini de verser son repas.

À la seconde où je relevai le sac de nourriture, j'entendis un bruit venant du salon, tout près des trois grandes fenêtres qui exposaient le fleuve à notre vue. Un « tic-tic-tic » résonnait sur le plancher.

Je balayai du regard le plancher pour enfin apercevoir une souris grise, à peine grosse comme ma main, en plein milieu du salon. Sûrement une créature du grenier.

— Une souris ! Dans le chalet ! Jules !

Mon vieux chat orange et obèse releva le menton poilu, parsemé de graines de céréales, et fixa la souris droit dans les yeux. À quelques mètres de distance, les deux se regardèrent sans cligner des yeux et sans broncher. Seul le bout de la queue de Jules vacillait. Jules se mit alors à bouger rapidement les babines de façon saccadée et à montrer ses petites dents pointues et jaunies par les années. Mon chat Jules répétait constamment ce protocole à la vue des oiseaux de l'autre côté de la fenêtre à la maison. Eux étaient à l'extérieur et lui, à l'intérieur. Mais, cette fois, Jules était dans la même pièce que la pauvre souris.

Sept secondes s'étaient écoulées sans que personne bronche. Et là, Jules bougea le premier. Il cessa de branler la queue, cligna des yeux et replongea la tête première dans son bol de céréales vitaminées et protéinées pour gros chats.

La souris en profita pour déguerpir et se faufila entre deux planchettes du mur en pin.

— Jules! criai-je. Est-ce que tu réalises que tu es rendu un gros tas de graisse? Il y avait une souris dans le chalet! Une souris! Toi, tu es un chat. Et les chats chassent les souris. Tu t'en souviens, non?

Au même moment, la porte du chalet s'ouvrit et mes parents entrèrent avec des sacs plein les mains et des bouteilles de vin de la Société des alcools du Québec. Ma mère me tendit les sacs et les bouteilles en disant:

— Mon Chat, ça te dit de manger du poisson frais pour souper? Ton père et moi avons découvert, en haut de la côte, sur la rue Rioux… une superbe poissonnerie!

Chapitre 8

Il était 23 h 11 et je pensais à l'heure du rendez-vous du lendemain : 7 h 39. Mais pourquoi 7 h 39 et non pas 7 h 30 ? Je ne comprenais vraiment pas pourquoi le vieux pêcheur m'avait donné rendez-vous à une heure aussi étrange. Mais bon. Je mis ma tablette sur la table de chevet en bois qui devait avoir cent ans. La fenêtre entrouverte à la tête de mon lit laissait entrer un petit vent frais qui rappelait que nous étions à quelques mètres du fleuve Saint-Laurent. Je pouvais sentir l'odeur qui est si particulière aux rives du fleuve dans cette région du Québec. Une odeur de sel et de terre mouillée. Comme on en retrouve quand on ouvre un pot d'herbes salées. Après avoir éteint la lumière, je jetai un coup d'œil par la fenêtre en direction du fleuve. La noirceur totale ! J'entendais le son des vagues, mais je ne pouvais les distinguer. Au loin, il n'y avait que la lueur d'un lampadaire solitaire au bout du quai. Quelques voitures étaient garées et éparpillées à l'entrée du quai dans la noirceur. J'appris plus tard durant l'été que le soir venu, le quai devenait le lieu de prédilection des jeunes amoureux dans leurs bagnoles. Au large, deux lumières, une verte et une rouge, séparaient le fleuve en deux. Deux bouées pour guider les navigateurs. Encore plus loin, de l'autre côté du fleuve, je voyais de toutes petites lumières blanches qui me donnaient l'indice qu'il y avait trace de civilisation sur l'autre rive. C'était le village des Escoumins qui accueillait les voyageurs du traversier.

À peine ma tête toucha l'oreiller que je tombai endormi comme une bûche pour me réveiller au son de l'alarme de ma tablette. Je n'avais jamais dormi aussi profondément. Et mes parents aussi, car ils n'entendirent même pas la sonnerie. Ça devait être l'air salin et les grands espaces ! Ou peut-être, dans leur cas, la bouteille de vin de la veille.

Je sautai alors rapidement dans la douche, moi qui n'avais pas encore visité cette section du chalet depuis notre arrivée. Je dis « douche », mais le terme *bain-sur-pattes-avec-pommeau-de-douche-accroché-avec-de-la-broche-au-bout-d'un-tuyau-de-métal-assorti-d'un-rideau-en-plastique-jauni* serait plus juste. Qu'à cela ne tienne, je me lavai rapidement et m'habillai. Je descendis au rez-de-chaussée et ramassai une banane et un muffin sur le comptoir de la cuisine où traînaient encore la vaisselle, les verres et la bouteille de vin vide de la veille. Mon chat, Jules, monté sur le comptoir, léchait les restes de la peau du poisson dans un plat.

— Miaouu…

— Si au moins tu l'avais pêché, vieux chat domestique, lui lançai-je en ouvrant la porte de devant.

J'allais mettre le pied sur la terrasse à la peinture défraîchie quand je m'arrêtai net.

— Zut! Ma tablette! pensai-je tout haut. On ne sait jamais!

Je retournai donc au deuxième étage à me demander où j'avais la tête et comment j'avais pu partir sans cet objet si précieux. Je décidai alors de prendre mon sac à dos d'école et d'y ranger la tablette, la banane et le muffin. Un calepin et des crayons y traînaient encore dans le fond.

À 7 h 30, j'étais déjà sur le chemin du Havre en direction du quai. Encore. Mais, cette fois-ci, sans ma tablette dans les mains. Sans connexion Internet dans les parages, ma tablette dormait dans mon sac à dos.

En remontant le chemin et regardant au loin, je remarquai non seulement la colonie de roches plates qui jonchaient l'asphalte, mais quelque chose qui avait aussi échappé à mon attention depuis mon arrivée. Des fleurs ornaient les deux côtés du chemin du Havre. Des arbustes aux belles fleurs rouge vif, protégées par des tiges à épines, penchaient vers le chemin. Comme si une meute de photographes et de journalistes, de chaque côté du tapis rouge, acclamaient mon passage et tendaient les bras pour une entrevue ou un autographe. Non seulement elles égayaient le paysage par leur beauté, mais le doux parfum qu'elles dégageaient se mélangeait à l'air salin du fleuve. On aurait dit des rosiers mais géants. Je n'avais pas eu conscience de leur présence depuis mon arrivée.

Plus tard, j'appris au cours de l'été que ces arbres étaient des rosiers sauvages.

Après avoir franchi la horde des roses, j'arrivai au quai.

À ma grande surprise, l'eau avait disparu. Partout. Un paysage de boue et de vase s'étendait presque jusqu'aux deux bouées lumineuses verte et rouge de navigation. Le sac à dos en bandoulière, je marchai nonchalamment vers l'endroit où j'avais retrouvé le vieux pêcheur et sa bande, la veille.

En regardant en direction du chemin du Havre, je voyais clairement notre chalet d'été.

— Un, deux, trois, quatre, cinq, six. Six !

C'était le sixième chalet à partir du quai. Pas le plus gros ni le plus petit, mais le seul qui osait des couleurs différentes. Jaune et bleu. Tous les autres chalets étaient teintés de blanc, de brun et de vert.

Et quelle ne fut pas ma surprise de voir, juste en face de notre chalet, à environ cent mètres de notre terrasse, la bande de joyeux pêcheurs de la veille, les deux pieds dans le fleuve, qui me faisaient signe, les bras dans les airs avec leurs pelles métalliques carrées. L'eau avait disparu et ils étaient tous là, au beau milieu du fleuve. David Copperfield devait sûrement séjourner dans l'un des chalets sur le chemin du Havre et avait fait disparaître l'eau.

Plus tard, j'appris que le fleuve répondait à des cycles de marées hautes et basses selon des heures précises. Ce matin-là, la marée était très basse. À 7 h 39. Pile.

— Hé! Le jeune! s'écria Paul en utilisant sa main comme porte-voix devant sa bouche. Prends l'échelle rouge au bout du quai et descends nous rejoindre!

N'écoutant que mon courage, mais surtout pour ne pas passer pour une poule mouillée, je me rendis à l'échelle rouge. Je testai alors la solidité des deux tuyaux métalliques rouillés qui pendaient dans le vide, fixés au quai par deux vis tous les trois mètres. Le son du métal frappant sur du métal ne m'inspira pas confiance, mais je me résolus à descendre, quitte à y aller les deux pieds, une marche à la fois, comme lorsque, bébé, on descend les escaliers de la maison pour la première fois.

Je tournai donc dos au fleuve, ou plutôt à la boue, et entrepris de descendre les marches de l'échelle une par une. Quinze mètres à la verticale avec un petit vent du nord-est, collé à l'échelle, c'est long. Longtemps! Surtout quand on n'a pas le pied marin et qu'on a dans les pieds de minces sandales qui sont retenues par une ganse entre deux orteils et qui glissent au contact de l'eau. Me tournant la tête à toutes les cinq marches de l'échelle pour voir si j'approchais de mon but, j'entrevis encore au loin notre chalet. Je me fis alors la réflexion que, la prochaine fois, s'il y en avait une prochaine, je descendrais les escaliers de ma terrasse et marcherais cent mètres en ligne droite.

Arrivé à la dernière marche, je levai la tête vers le haut de l'échelle, fier de la distance parcourue à la verticale. À moins d'un mètre du sol, je m'élançai en lâchant les deux tuyaux métalliques froids, et comme Neil Armstrong, j'atterris les deux pieds simultanément sur la surface boueuse du fleuve. À la différence qu'ici, mes pieds et mes sandales avaient disparu dans dix centimètres de boue.

— Un petit pas pour l'homme, mais un grand pas pour l'humilité, m'exclamai-je en riant jaune en voyant mes deux pieds enfoncés dans la boue.

J'avais appris cette citation de Neil Armstrong et son périple lunaire de 1969 en faisant une recherche dans Google avec ma tablette numérique scolaire pour un exposé oral dans un cours d'histoire.

En moins de deux, je me retrouvai marchant en plein milieu de ce qui avait été le fleuve Saint-Laurent jusqu'à hier, et laissant de longues traces derrière. La marche fut longue et pénible jusqu'aux pêcheurs. À chaque pas, je devais combattre la loi de la succion pour ne pas perdre mes sandales dans la boue. À mi-chemin, je me résignai et les enlevai de mes pieds. Mes sandales devaient peser cinq kilos chacune.

Chapitre 9

— Salut, le jeune! C'est ta première expérience en marée basse, hein? commença par dire le vieux pêcheur Paul qui s'avança vers moi en regardant mes pieds tachés de boue jusqu'aux chevilles. J'aurais dû t'avertir de mettre des bottes de caoutchouc, me dit-il avec un grand sourire qui fit apparaître sa rangée de dents du bas. (Sa gencive du haut n'étant plus propriétaire de dents.) S'cuse-moi, je n'ai pas mis mes dents ce matin. Mais je vais te montrer des créatures qui en ont deux! Viens avec moi.

Sans attendre ma réponse, il tourna les talons de ses bottes en caoutchouc et s'en retourna vers sa bande. Il marcha lentement tenant dans sa main droite la poignée jaune d'une pelle à jardin qui lui servait d'appui pour contrecarrer la succion de la boue du fond du fleuve à chaque pas qu'il faisait.

Tout le réseau de vieux pêcheurs se tenait là, en plein cœur du fleuve, armé de pelles à jardin et de chaudières de plastique. Certaines chaudières arboraient encore sur leur rebord quelques couleurs et images de ce qu'elles avaient contenu à l'époque. Margarine dix kilos, huile végétale, etc.

Les vieux pêcheurs formaient un cercle, un pied déposé sur leur pelle à jardin. Au centre du cercle, Mathieu tournait la terre mouillée avec sa pelle.

— Tiens, à s'y méprendre, on dirait qu'on est au centre-ville de Montréal devant une équipe de cinq cols bleus bouchant le trou laissé par un nid-de-poule au dégel, leur lançai-je spontanément.

D'un élan commun, les cinq pêcheurs levèrent la tête sans rien dire. Ils ne devaient pas apprécier mon humour urbain.

— Mais qu'est-ce que vous faites, sérieux ? leur demandai-je.

— Tu vas voir… Ah ! Tiens, voilà ta première prise à vie ! me dit Paul en me tendant un ver de terre fraîchement cueilli de la pelletée que Mathieu avait tournée.

Je saisis le long et gros ver de terre du bout des doigts, en tentant de ne pas trop me salir, et l'approchai de mon visage pour mieux l'observer. Il était un peu bizarre avec ses dizaines et dizaines de petites pattes de chaque côté du corps. On aurait dit le croisement entre un ver de terre et un mille-pattes.

— On n'a pas ça, en ville, cette bestiole-là ! C'est quoi exactem…. AAAÏÏÏE ! me suis-je mis à hurler en lâchant le ver de terre mutant. Ayoye donc… Maudit ver de terre de…

— Le jeune, on ne dit pas « ver de terre », on dit « sang-sue », m'expliqua Paul, tout sourire, sous les « pouffées » de rire de sa meute.

— Maudite sangsue d'abord ! répétai-je en me tenant le bout du pouce droit, marqué par deux points rouges de mon sang.

— Ce sont les deux dents dont je te parlais plus tôt, me dit Paul en ramassant la sangsue dans la boue et en prenant bien soin de placer son pouce et son index derrière la bouche du carnivore rampant.

À la pression de son pouce et de son index, la bouche de la sangsue s'ouvrit pour laisser sortir deux grosses dents noires. Ou plutôt deux crochets noirs d'environ deux millimètres.

— LOL ! La sangsue a plus de dents que vous en haut ! lui dis-je, tout sourire.

Sa bande de joyeux pelleteurs s'esclaffa de nouveau. La victime de mon gag força un sourire de toute sa gencive du haut, l'air de me dire :

— Bon gag, le jeune…

Sans même regarder, il lança la sangsue dans la chaudière la plus proche et poursuivit sa quête de vers de terre vampires en creusant dans la boue avec sa pelle.

— Tu vois, là, c'est sous ces roches et ces algues que se terrent les sangsues. Le festin des éperlans se cache sous nos pieds. C'est exactement ici, hier, que le Grand Héron a plongé sa tête dans l'eau à la recherche des petits éperlans. C'est ici que débute la sélection naturelle.

Je poursuivis donc :

— Le Grand Héron mange l'éperlan, l'éperlan mange la sangsue…

— … et la sangsue mange le bout de ton doigt ! conclut Paul.

La foule gagnée d'avance se remit à rire à gorge déployée. Paul m'avait rendu la monnaie de ma pièce.

— Sérieusement, c'est ça que je t'expliquais hier, le jeune, l'importance de la conscience de son environnement.

— Et vous attrapez seulement les éperlans avec ce type de monstre à crocs ?

— Ouaip !

— On dirait un monstre sorti tout droit d'un vieux film d'horreur des années 60. Je pense que je vais le prendre en photo pour le montrer à mes amis en ville, pensai-je tout haut en ouvrant mon sac à dos.

— T'as apporté un appareil photo?

— Un appareil photo? Ben non, voyons. Plus personne n'a ça de nos jours. J'ai ma nouvelle tablette numérique qui prend des super belles photos de dix mille mégapixels.

Les vieux pêcheurs me regardèrent surpris et dans l'incompréhension totale me voyant pointer ma tablette en direction de la chaudière la plus proche et grossissant l'objectif de la lentille.

— Faites comme tantôt… et faites-lui sortir les crocs!

Luc saisit le monstre des rives du fleuve et je pris une série de photos numériques.

Clic! Clic! Clic!

— Voilà… C'est génial! Attendez, je vais la filmer aussi…

La bête à la dentition de Dracula paraissait encore plus horrible et monstrueuse sur mon écran, à cent fois sa grosseur. J'allais au moins pouvoir faire un petit montage vidéo ce soir et contenter mon envie de tablette.

Juste avant de remettre ma tablette dans mon sac à dos, je vis que le reste des vieux pêcheurs, qui formaient toujours le cercle, étaient penchés sur leur pelle à creuser. Leur position de travail laissait apparaître, dans leur région lombaire, la présence d'une craque de fesse digne de la génération Y, ou plutôt, dans ce cas-ci, d'un attroupement de cols bleus montréalais autour d'un nid-de-poule. Je n'ai pu m'en empêcher.

Clic !

Chapitre 10

— À toi, le jeune ! lança Paul en m'envoyant la pelle. Lâche ta tablette, elle ne te sert plus à rien, ici. Creuse sous les algues près des grosses roches. Si tu veux pas te faire mordre, tu les prends comme j'ai fait plus tôt. Mais pour ça, il faut que tu en captures… Allez, chasse-les maintenant !

Armé d'une pelle à jardin, j'entamai donc ma jeune carrière de chasseur de sangsues en retournant le fond du fleuve du bout pointu de ma pelle à la recherche des monstres rampants aux crocs dévastateurs.

À peine quelques minutes après ma première pelletée de boue, j'avais déjà cinq ou six sangsues à mon tableau de chasse.

— Tu vois, ce n'est pas si difficile que ça, le jeune. L'important, c'est de bien observer. Tiens, essaye plus loin.

À creuser à gauche et à droite, nous nous étions déplacés de cinquante mètres à l'ouest de notre chalet.

Déjà une heure que je chassais les sangsues en creusant, et je n'aurais jamais imaginé qu'au beau milieu du fleuve, les pieds pleins de boue, j'allais prendre un plaisir fou à tourner la terre mouillée, les algues, les roches et les petits coquillages.

Je prenais plaisir à écraser la tête des sangsues entre mon pouce et mon index pour voir lequel de ces monstres rampants avait les plus grosses incisives. C'était un univers que je ne connaissais pas deux heures plus tôt. Un malin plaisir aussi à plonger mes deux mains dans la terre mouillée, à délier celle-ci et à découvrir des écrevisses, des bébés crabes et mes nouvelles amies, les sangsues. Comme un enfant d'un an qui découvre la joie de plonger ses mains dans le sable à la plage et de faire des châteaux. Paul s'approcha de moi, toujours concentré à tirer les futurs appâts à éperlan du fleuve avec la pelle, il se pencha vers moi et me dit :

— Tu vois, là, tu as la sensation de la terre mouillée, la texture des sangsues, la douleur de leurs crocs dans ta peau, la forme des coquillages, la froideur de l'eau, le grain du sable. Tes pouces et tes doigts touchent à la vie, à du concret. Ce ne sont pas tes doigts et tes pouces sur l'écran froid de ta tablette et son monde virtuel qui peuvent t'apporter ça.

Dans le fond, il avait raison.

En plus, j'aimais ça.

Chapitre 11

Assis sur une chaudière vide retournée, je prenais une pause bien méritée après avoir attrapé une centaine de sangsues plus dégoûtantes les unes que les autres. La pelle qui m'avait servi d'arme était plantée dans la boue, elle aussi, au repos. Nous avions dû couvrir environ cent mètres carrés de surface du fleuve à creuser ici et là. Je regardais au loin, la rive rocailleuse asséchée par le soleil, la marée basse et la série de chalets cordés comme des sardines, quand Paul me sortit de mon état lunatique.

— Et puis, dis-moi donc, c'est dans quel chalet que t'habites, le jeune ?

— Bien, vous voyez… celui qui est jaune et bleu… c'est le sixième à partir du début du chemin du Havre. Mes parents ont décidé de le louer pour l'été.

— Tu parles d'un hasard, le jeune ! Quand j'avais ton âge, j'allais passer mes étés dans ce chalet-là. Il appartenait au vieil oncle Albert de mon meilleur ami à l'époque. Il a dû changer depuis le temps avec les rénovations et tout. Tu vas voir, tu vas adorer ça.

— Peut-être, mais il n'y a pas grand-chose à faire là, lui dis-je. Il n'y a pas de connexi...

Au même moment, le son d'une clochette retentit du fond de mon sac à dos : «Ting».

Paul me regarda avec l'air de dire «qu'est-ce que c'est que ça?»

Mes yeux devinrent alors gros comme des deux dollars et ma bouche s'ouvrit d'étonnement. Un peu plus et je faisais comme le chien de Pavlov et je me mettais à saliver au son de la cloche. Je reconnaissais trop bien ce doux son que j'avais entendu des milliers de fois. C'était l'avertissement que j'avais des messages dans ma boîte de réception de mes courriels. Donc, que j'avais enfin un réseau Internet à ma portée... J'avais programmé ma tablette pour qu'elle se connecte automatiquement à un réseau Wi-Fi disponible qui ne demandait pas de mot de passe.

Je m'empressai alors d'ouvrir mon sac à dos et de sortir ma tablette numérique. J'ouvris l'enveloppe protectrice et composai mon mot de passe de quatre chiffres. Dans le coin droit de l'écran de ma tablette, le logo Wi-Fi affichait trois barres sur quatre pour la qualité de la réception. C'était assez pour que je puisse l'utiliser!

— Wouhouuu ! m'écriai-je.

En entendant mon cri, les quatre autres pêcheurs se retournèrent vers moi, surpris.

— As-tu « pogné » une sangsue géante, le jeune ? me lança Marc.

— Ben non, c'est sa tablette qui a repris vie, lui répondit Paul.

Les pêcheurs s'approchèrent de moi tranquillement, pelle à la main, pendant que je regardais l'application « Plan » que je n'avais pas fermée durant le trajet en auto. On pouvait voir, sur la carte géographique, le chemin du Havre et le quai. En plein centre de l'écran, un petit point rouge sur un fond bleu indiquait notre emplacement.

— C'est quoi, ça, ce point rouge-là ? me demanda Paul.

— Ça, c'est nous ! C'est l'endroit précis où nous nous situons. En plein dans le fleuve ! Mais l'application « Plans » ne montre pas que l'eau a disparu avec la marée basse.

— Impressionnant !

— Attendez, vous n'avez rien vu, je vais vous montrer la fonction 3D de l'application « Plans ».

Je sélectionnai alors le petit personnage jaune en bas de mon écran et le glissai à l'intersection du chemin du Havre et du quai. À peine une seconde et nous avions le visuel réel du coin du chemin du Havre et du quai.

— Ben voyons donc! Ça parle au diable! Les gars, avez-vous vu ça? s'empressa de dire Paul à ses amis.

Les vieux pêcheurs se mirent alors à lancer des: «C'est pas possible!», «incroyable!», «Comment ça se fait?». Je déplaçai avec mon index le petit bonhomme jaune sur le chemin du Havre sous les commentaires surpris des pêcheurs. Je regardai alors le vieux pêcheur Paul et dis en lui faisant un clin d'œil:

— Ce ne sont pas les roches, la boue et les sangsues qui peuvent vous apporter ça, hein?

Chapitre 12

Après mes quelques minutes de gloire devant une meute de vieux pêcheurs ébahis, j'ouvris alors mon application « Facebook » pour voir les messages que j'avais manqués depuis trois jours. Les vieux pêcheurs étaient toujours penchés au-dessus de mes épaules. Comme je le prévoyais, mon mur de messages était rempli à craquer. Des messages personnels, des vidéos comiques, des liens, des égoportraits de mes amis dans mille et une situations, des publicités de sites de rencontres.

À la vue de la photo assez *sexy* d'une femme dans une publicité de site de rencontres, l'un des vieux pêcheurs lança :

— Ouin, y a des madames par trop habillées… C'est donc vrai ce qu'on dit sur le sexe et Internet… que c'est… très accessible ?

— Bah ! Vous n'avez rien vu… cette photo-là est une publicité pour un site de rencontres. Attendez, je vais vous montrer…

— Mais ça ne prend pas dix-huit ans pour voir ces choses-là sur « les » Internets ? questionna Luc.

— On a tous dix-huit ans sur Internet, lui répondis-je tout en tapant quelques mots sur le moteur de recherche Google.

En deux temps, trois mouvements, j'avais accédé à un site pour adultes… pas trop osé pour éviter de les traumatiser. C'était une première fois pour eux.

— Et voilà, je clique ici, et ici. Et le tour est joué.

Les yeux des cinq vieux pêcheurs se mirent à grossir comme ceux d'un poisson pris au bout d'un hameçon, la bouche grande ouverte. Ils se rapprochèrent de l'écran et j'entendis des commentaires d'étonnement. Les bras étendus, tenant ma tablette à bout de bras, j'arrivais à peine à voir l'écran tellement ils s'étaient approchés de ma tablette. Ils venaient de faire connaissance avec la qualité HD du web et des images numériques.

— Attends, pas si vite, passe-moi la tablette !

— Non, laisse l'image !

— Hé ! On est loin du magazine *Playboy*…

— Mais comment elle fait ça, elle ?

J'étais maintenant là, devant eux, à les observer silencieusement. Je ne tenais plus ma tablette. Les cinq vieux pêcheurs me l'avaient arrachée des mains, le visage collé sur l'écran, les yeux sortis de la tête, comme s'ils venaient de voir atterrir un Grand héron sur le quai. Les pelles à jardin n'existaient plus. J'étais non seulement surpris par leur réaction, mais, en même temps, ça me faisait rire. Une bande de vieux pêcheurs qui, à peine quelques heures auparavant, m'avaient fait la morale sur ma génération accro aux tablettes numériques, étaient maintenant devant moi, les regards perdus dans l'écran. Plus rien au monde n'existait autour d'eux. Rien !

— Vous êtes maintenant rendus des longs cous ? leur lançai-je tout en cliquant sur le bouton pour éteindre ma tablette, comme ma mère avait fait dans la voiture avec moi.

Visiblement gênés par mon commentaire et leur comportement, les cinq vieux pêcheurs reprirent leurs pelles à jardin, sans rien dire, qui jonchaient le sol et se remirent à tourner la terre mouillée en sifflotant.

Voilà donc de vieux pêcheurs qui jugeaient l'obsession de ma génération pour les tablettes numériques et qui, à la première occasion, se retrouvaient le cou étiré à surfer sur des images suggestives de madames pas trop habillées…

— On aura tout vu, me fis-je la réflexion en retournant vers mon chalet, mais, cette fois-ci, par le chemin le plus court, c'est-à-dire le bord de la rive.

Chapitre 13

Les derniers jours de juin nous réservèrent un *cocktail* météo de pluie, d'orages et de vents violents. Assez pour ne pas mettre les pieds sur la terrasse du chalet. Des torrents d'eau déferlèrent sans arrêt trois jours durant. Toutes les villes qui longent le Saint-Laurent dans la région du Bas-du-Fleuve connaissent bien ces caprices de Dame Nature. Pendant que le thermomètre à Montréal flirtait avec les 25 degrés Celcius sous un soleil radieux, nous, à Trois-Pistoles, devions nous contenter d'« un maigre » 15 degrés Celcius sous un déluge de pluie et de nuages épais. À quatre cent cinquante kilomètres seulement.

— Belles vacances estivales! ne cessai-je de me répéter.

Imaginez la situation. Pas de câble satellite pour la télévision, pas de connexion Internet, pas de console de jeux vidéo XBox, pas d'ordinateur. Rien. Juste une pile de jeux de société dans le fond d'un placard, un paquet de cartes à jouer et un jeu de *cribble*. Mes parents, eux, avaient au moins une réserve de vins pour se réchauffer.

J'étais à peine à cent mètres d'une connexion Wi-Fi devant le chalet, dans le fleuve, mais il m'était impossible de l'exploiter, vu les conditions météorologiques.

Nous passâmes donc les trois derniers jours de juin « encabanés », habillés comme des ours pour combattre le froid, à jouer à des vieux jeux de société qui sentent le renfermé. Un peu comme l'odeur d'une vieille église ou d'une grotte humide. Dans l'un des placards de la cuisine, il y avait comme occupants des jeux de société comme Clue, version 1963. Le reçu de la caisse enregistreuse de 3,79 $ traînait encore dans le fond de la boîte.

— Je soupçonne le Colonel Moutarde, avec un chandelier, dans la salle de billard.

— J'accuse Miss Scarlett, avec le pistolet, dans la bibliothèque.

C'était toujours Miss Scarlett qui finissait par être coupable. Pourquoi ? On ne le saura jamais.

Il y avait aussi d'autres jeux, aux dires de mes parents, tout droit sortis de leur enfance. Des jeux comme Monopoly, Risk, Mastermind, Opération, Twister. Et surtout des casse-têtes. Des gros casse-têtes de mille morceaux aux images aussi laides les unes que les autres.

Je sus pendant l'été que ces jeux avaient appartenu aux propriétaires et locataires du chalet et qu'au fil des ans, ceux-ci les oubliaient ici.

— Passez Go, réclamez deux cents dollars !

— Deux cent cinquante dollars pour un terrain sur la rue Connecticut.

La table du salon avait vu défiler la collection de jeux de société et de cartes, un après l'autre. De mémoire, je crois que c'était la première fois depuis longtemps que je m'assoyais avec mes parents pour jouer. La dernière fois remontait au Noël de mes dix ans où, dans la journée du 25 décembre, nous avions joué avec les cadeaux et les jeux que j'avais reçus du père Noël. C'était vraiment «spécial» de voir mon père et ma mère se démener pour ne pas perdre pied à jouer à Twister, pour s'effondrer sur moi et rire aux éclats à en avoir mal au ventre.

— Une petite partie de *cribble*, maintenant ? proposa mon père. Je ne serai pas capable de me lever demain à force de faire le grand écart comme ça, dit-il en se frottant les cuisses avec la paume des mains.

On rangea alors le jeu de Twister et s'installa à la table du salon pour jouer au *cribble*. Pendant que ma mère m'expliquait les règlements du jeu, mon père alla à la cuisine et revint avec un plateau de deux verres de vin rouge et un chocolat chaud avec une guimauve.

Pendant tout ce temps, ma tablette numérique dormait sur la table de chevet près de mon lit. Parfois, durant nos heures passées à jouer, je regardais au large, par les grandes fenêtres du salon, le regard perdu. J'espérais tant pouvoir retrouver l'endroit où j'avais attrapé des sangsues. La connexion était là-bas. La pluie frappait les grandes vitres du salon.

— Allez, c'est à toi de brasser, mon Chat! m'annonça ma mère en me tendant le paquet de cartes.

Je tentai alors de brasser les cartes et échappai la moitié du paquet sur la table. Ça faisait une éternité que je n'avais pas brassé un jeu de cartes. Un vrai. Entre mes mains. Dans mes applications de jeux de cartes sur ma tablette, je pesais sur un bouton «Brasse» et les cartes se mélangeaient et se distribuaient automatiquement. Après quelques essais, je maîtrisai de nouveau le paquet de cartes.

Outre les jeux de société, quelques livres qui traînaient dans la bibliothèque du salon nous tinrent compagnie. Le troisième matin du déluge, assis sur le grand divan aux motifs bleus, je remarquai un livre et son titre m'interpella: *Les Rois Maudits*. J'entamai donc la lecture de ce gros bouquin aux pages jaunies. Moi qui adorais jouer sur ma tablette à des applications du type «on construit un village médiéval et on le défend contre les envahisseurs», je me surpris à plonger dans l'histoire du roman historique dès les premières pages. Je fus absorbé par les guerres intestines de la royauté française, la corruption et la trahison qui régnaient déjà à cette époque. Encore aujourd'hui, ce sujet était sur toutes les chaînes de nouvelles à la télévision et à la une des sites Internet de nouvelles. Je dévorais chaque mot, chaque phrase. Je tournais manuellement les pages avec mon index. Des pages en papier.

C'est bizarre à dire, mais j'avais un livre entre les mains et je le lisais. Pas un livre numérique.

Chapitre 14

Après trois jours de pluie intense, Dame Nature nous offrit une petite éclaircie et le soleil se pointa à l'horizon. Des gouttes de pluie tombaient ici et là. Je sortis de mon lit et descendis les escaliers menant au salon. Mes parents étaient toujours couchés, car je les entendais ricaner dans leur chambre. Ils riaient comme ça en matinée à flâner dans leur lit.

Ce matin-là, j'enfilai les bottes de pluie et l'imperméable jaune qui traînaient dans le placard et décidai d'aller marcher sur la rive devant notre chalet. Je ressemblais à un canard géant jaune. La marée était encore assez haute, mais je pouvais sauter de roche en roche sans mettre les pieds à l'eau. Je décidai d'emporter ma tablette numérique, au cas où, par miracle, j'aurais accès à une connexion Internet. Déjà une semaine était passée sans que je puisse me connecter à mon monde, mes jeux et mes amis sur Facebook. J'étais vraiment en manque de connexion.

Je décidai donc d'élire domicile sur une grosse roche plate à cinquante mètres de l'endroit où j'avais obtenu du réseau Wi-Fi. Il devait y avoir environ un pied d'eau autour de ma nouvelle demeure. Je m'assis donc, les jambes croisées, face au fleuve, à regarder au large. Ce dernier était très calme ce matin. On pouvait voir les nuages se refléter sur l'eau tellement le fleuve ne bougeait pas. Le ciel et l'eau se fondaient à l'horizon. Tout un contraste avec les derniers jours qui avaient apporté des vagues qui venaient se fracasser sur le quai ! Un silence envahissait les environs. Au quai, sur la rive, sur l'eau. Pas un bruit. Quelques clapotis d'eau qui venaient caresser les roches et le bruit des goélands qui se perdait au loin. C'était vraiment extraordinaire d'entendre le silence.

Assis, je survolai du regard le fleuve devant moi. D'est en ouest, mes yeux furent surpris par l'immensité de l'eau. Au loin, je vis un bateau, sûrement un pétrolier, qui semblait minuscule sur cette mer infinie. Je m'imaginais que, sous ce monstre de métal des mers rempli de pétrole, des poissons presque aussi gros nageaient. Et des plus petits aussi. Des plus petits comme ceux qui tournaient autour de la roche sur laquelle j'étais assis.

Je me penchai pour voir les petits poissons qui tournoyaient et allaient dans tous les sens dans le fond de l'eau près de ma roche. Dans à peine un pied d'eau, je distinguai des algues qui dansaient et s'entrecroisaient, des coquillages, des écrevisses qui marchaient et un mini-crabe blanc qui creusait un trou. C'était à peine croyable que dans un petit espace d'un mètre carré se trouvaient autant d'êtres vivants. Je dus rester là une bonne quinzaine de minutes, immobile, à plat ventre sur la roche, les bras croisés, le menton sur mes mains, à contempler les activités d'une civilisation sous-marine dont je ne soupçonnais pas l'existence à peine quelques minutes plus tôt.

J'osai même plonger mon bras dans l'eau froide pour tenter d'attraper l'un des petits poissons qui, à la vue de ma main, se réfugiaient parmi les algues. Je me contentai donc de racler le fond de l'eau avec mes doigts. J'attrapai des petites roches qui ressemblaient à des pierres précieuses que l'on voit dans les coffres de pirate. Je ramassai donc les cailloux les plus beaux et m'imaginai trouver un trésor enfoui par une bande de flibustiers dans le fond de l'océan. Maintenant, j'avais les deux mains dans l'eau. Les poissons finirent par sortir de leur cachette et recommencèrent leur va-et-vient près de la roche. Je crois qu'ils s'étaient habitués à ma présence et ne me voyaient plus comme une menace. Je faisais partie de leur environnement maintenant. Je me sentais comme un explorateur avec mes deux mains qui raclaient le fond marin. Mes doigts qui, il y a quelques jours, passaient tant de temps à effleurer une vitre numérique. Immense contraste.

Après plus de trente minutes à jouer sous l'eau froide, je ne sentais plus mes mains. Je les sortis de l'eau et les essuyai sur mes pantalons. J'avais le bout des doigts tout ratatinés, comme lorsqu'enfant, je passais des heures à jouer dans le bain avec mes jouets. Maman avait peut-être raison, les vacances allaient nous rajeunir.

Une fois mes mains séchées, j'eus l'idée de prendre en photo mes nouveaux amis sous-marins avec ma tablette. L'eau était tellement limpide que les images seraient magnifiques. Ma tablette servirait au moins à quelque chose.

Clic ! Clic ! Clic !

Tablette à la main, je regardai donc au loin, le regard perdu dans l'eau quand soudain une idée me vint.

— Et si je m'aventurais un peu plus loin ? Juste assez près pour obtenir la connexion Internet. Au repaire des sangsues…

Pourquoi n'y avais-je pas pensé auparavant ?

La marée était encore haute, mais avec les bottes qui me montaient jusqu'aux genoux, je pourrais réussir à m'approcher assez pour accéder à ma chère connexion… Et pourquoi pas ? Mon père me disait toujours : « Si tu n'essayes pas, tu ne sauras jamais ce que tu es capable d'accomplir. »

Debout sur la roche, je visualisai l'endroit exact du repaire à sangsues, analysai ma position et descendis de la roche. J'avais de l'eau jusqu'aux mollets.

— Bah, c'est parfait !

Aventurier numérique, je m'avançai tranquillement, la tablette entre les mains, en prenant bien soin de ne pas glisser sur une roche dans le fond de l'eau. Si j'avais au moins eu le pouvoir de Moïse de séparer les eaux en deux…

Un pas à la fois, je réussissais tranquillement à diminuer la distance entre ma connexion et moi. Aucune ligne de l'icône Wi-Fi de ma tablette n'était encore apparue. Je poursuivis mon chemin tout en prenant soin de regarder où je mettais les pieds.

— Ah non ! Pas de l'eau dans mes bottes ! m'écriai-je.

Sans m'en rendre compte, je m'étais avancé et j'avais maintenant de l'eau jusqu'aux genoux. Mes bottes pesaient une tonne.

L'eau me montait maintenant jusqu'aux hanches, mais j'étais déterminé à rejoindre la connexion. Hésitant, je tâtai du pied le fond de l'eau à chacun de mes pas. Le sous-sol marin était de plus en plus inégal. Je n'avais pas imaginé qu'en si peu de distance il y aurait eu un dénivellement aussi marqué.

Les bras dans les airs, je poursuivais ma quête quand soudain l'illumination apparut ! Mes efforts étaient récompensés ! Une première ligne de connexion Wi-Fi apparut sur ma tablette.

— Wouhou ! Je le savais !

Tel un Christophe Colomb qui voyait la terre des Indes au loin pour la première fois, je me laissai emparer d'espoir à la vue d'un début de connexion et j'oubliai que j'avais maintenant de l'eau à la hauteur de la poitrine.

La ligne de connexion était bien là, mais trop faible pour me fournir un accès à un réseau. Je devais avancer de quelques mètres encore. Juste quelques mètres. Encore quelques pas et…

Plouf !

D'un seul coup, je calai de trente centimètres. Mon pied droit n'avait pas réussi à toucher le fond et je me retrouvai à patauger avec mes bottes, les deux bras dans les airs, ma tablette au-dessus de l'eau. J'étais tombé dans un creux.

J'étais là, à nager sur place, comme dans mes cours de natation où l'on sautait tout habillés dans la piscine pour notre examen final. À la différence qu'à la piscine, l'eau était chaude. Celle du fleuve était plutôt… glaciale !

Je m'efforçai de garder la tête au-dessus de l'eau, et ma tablette aussi, que j'avais toujours entre les mains. Je tentai de toucher à une roche dans le fond de l'eau avec mes bottes mais sans succès. J'avais aussi l'impression que je m'éloignais de la rive. Je devais absolument trouver un appui, sinon c'était peine perdue. Comme par malchance, le fleuve s'était mis à s'agiter et je devais redoubler d'ardeur pour ne pas caler.

De plus en plus fatigué, je dus me débarrasser de mes bottes qui pesaient une tonne et qui m'attiraient vers le fond. À bout de force, je commençai à sentir mon énergie diminuer et je sentis l'eau entrer dans mes oreilles. Je pouvais à peine garder la tête hors de l'eau. J'avais toujours espoir de trouver une roche avec mes pieds, mais il n'était pas question que je lâche ma tablette.

— À l'aide ! À l'aide ! Au secours !

Je tenais maintenant ma tablette hors de l'eau avec ma main gauche. Ma main droite était venue en renfort à mes deux jambes pour tenir ma tête à flot. À bout de force, pas d'appui dans le fond de l'eau, j'allais sombrer dans le fleuve. J'arrivais à peine à respirer tant ma tête calait sous l'eau. Dieu allait me tendre la main et saisir la mienne qui tenait ma tablette hors de l'eau pour m'emmener au paradis.

Et c'est ce qui arriva. Ou presque.

Je sentis alors une main saisir mon poignet gauche et me tirer hors de l'eau. Mon corps fut sorti de l'eau par une force herculéenne. Étouffé et complètement perdu, je crachai l'eau salée de ma bouche et cherchai du regard à quoi pouvait bien ressembler le bon Dieu qui se trouvait debout devant moi. Le *focus* de mon regard replacé, j'essuyai mes yeux rougis par l'eau salée et vis enfin le visage du bon Dieu.

— Paul? On est au paradis? dis-je en toussotant. C'est vous, Dieu?

— Ben non, le jeune, on est en plein milieu du fleuve dans mon bateau pis je viens de pêcher le plus gros poisson de ma carrière!

— Vous trouvez le tour de faire des farces dans une pareille situation? lui dis-je en toussotant, encore étourdi par ce qui venait de se passer.

— T'as bien failli y passer, le jeune. Qu'est-ce qui t'a pris de t'aventurer comme ça vers le fleuve? Un peu plus et t'avais une connexion avec l'au-delà, me dit-il en m'enveloppant d'une couverture de laine.

Le vieux pêcheur dirigea alors son bateau vers le quai où quelques curieux s'étaient massés et avaient assisté à mon sauvetage. J'étais encore vivant, assis dans le fond du bateau, enroulé dans la couverture de laine, à grelotter.

C'était un vrai miracle.

Ma tablette n'avait pas pris l'eau.

Chapitre 15

Toc ! Toc ! Toc !

Ma mère ouvrit la porte du chalet sans dire un mot, surprise de me voir arriver, détrempé et accompagné d'un vieux monsieur qui tenait ma tablette numérique dans ses mains.

Ma mère cria alors à mon père de descendre au plus vite. Au regard qu'elle posait sur moi, je crois qu'elle n'était pas trop contente de me voir dans cet état.

— Mais qu'est-ce qui t'est arrivé, Christ ? me demanda-t-elle.

— Christ ? questionna le vieux pêcheur avec un gros point d'interrogation dans le visage.

— Ouais, c'est mon prénom. « Christ » pour « Christian ». Mais ma mère m'appelle toujours « mon

Chat », mais pas cette fois-ci. Je pense qu'elle est un petit peu en état de choc.

— Christ... T'aurais pu marcher sur l'eau, tant qu'à faire, rigola le vieux pêcheur.

Mon père arriva et ma mère nous fit entrer.

— Désolé, je ne me suis pas présenté. Paul. Mais le monde ici m'appelle « Ti-Paul ». Retraité et pêcheur amateur. Je vous ramène un gros spécimen de poisson que j'ai sorti du fleuve en face de votre chalet. Il faudrait qu'il saute dans un bain chaud pour que sa température corporelle revienne à la normale.

— Oui, oui ! Minou ! Va faire couler un bain chaud en haut, demanda ma mère à mon père qui se précipita dans les escaliers.

— Mais entrez. Assoyez-vous. Moi, c'est Josée. Et mon mari, Yves. Voulez-vous quelque chose à boire pour vous réchauffer ? Un café ? Un thé ?

— Ça serait pas de refus ! Avec l'aventure que nous venons de vivre... Je vais vous raconter comment j'ai attrapé ma plus grosse prise en carrière aujourd'hui...

Je montai alors à la salle de bain où mon père avait commencé à faire couler l'eau du bain. À la blague, il me demanda si l'eau était plus froide que celle du fleuve.

— Ha ! Ha ! Très drôle, P'pa.

Il redescendit me laissant seul.

Couché dans le bain brûlant, le menton enfoncé jusqu'à l'eau, mon corps était encore submergé. Mais, cette fois, il devait y avoir cinquante degrés de différence.

Chapitre 16

Le vieux pêcheur passa la fin de l'après-midi au chalet et cassa même la croûte avec nous pour souper. Il raconta comment il m'avait repêché, alors qu'il allait poser ses filets de pêche pour le hareng, et comment il avait passé sa vie sur les berges du fleuve.

— Une chance que vous étiez là! ne cessa de répéter ma mère. Qu'est-ce qu'il serait devenu sans vous?

— Ah! Vous savez, nous, les pêcheurs, on est habitués à vivre avec la mer et ses caprices. Nous sommes constamment en connexion avec l'eau. Nous devons être attentifs à chaque petit détail autour de nous… Conscients de notre environnement, conclut le vieux pêcheur en me faisant un clin d'œil.

Après quelques heures en notre compagnie, le vieux pêcheur se leva et nous annonça qu'il devait aller se coucher de bonne heure, car il travaillait à l'aréna du village tôt, le lendemain matin. Il était responsable de l'entretien de la glace.

— Chauffeur de surfaceuse à glace ou conducteur de Zamboni ! lança-t-il.

— Y a du hockey même en été ici ?

— Oui, le jeune. Mais seulement quelques heures, un jour par semaine, durant l'été. Les enfants aiment bien ça, le hockey. C'est notre sport national ! Ça leur permet de se défouler. Ils ont besoin d'évacuer leur trop-plein d'énergie. Au fait, j'y pense, j'aurais peut-être besoin de ton aide, Christ. Je dois réparer un morceau ou deux sur la vieille Zamboni et je n'ai plus le manuel d'instruction dans mon atelier à l'aréna. Penses-tu que tu pourrais trouver ça sur ta tablette numérique, sur… comment vous dites, «Google»? La Ville offre un accès Internet sans fil aux utilisateurs de l'aréna. Tu pourras en profiter pour te connecter sans risquer de t'enfoncer dans le fond du fleuve. Ça ne prendra que quelques heures.

— Hein, une connexion Internet ? *Yes !* Enfin ! Je ne pense pas qu'il devrait y avoir de problème à trouver ce que vous cherchez.

— C'est sur la rue Roy. Juste derrière l'épicerie. Tu ne peux pas la manquer. Tu peux passer par la porte du côté gauche de l'aréna. Tu tomberas directement en face de mon atelier et du garage de la Zamboni.

— À quelle…

— À 8 h. Ça te va ? Le premier match commence à 8 h. Du novice C, je crois. Les Rafales contre les Bombardiers. Ils sont tellement drôles à voir jouer, les petits bouts. Ils courent après la rondelle comme un troupeau de moutons ! Ils sont beaux à voir !

Sans même me laisser le temps de répondre, ma mère enchaîna :

— C'est parfait ! Je pourrai le déposer à 8 h pile, devant la porte. Je vais en profiter pour aller faire des courses à l'épicerie. On a épuisé nos réserves depuis trois jours. Le garde-manger est complètement vide ! Christ vous doit bien ça…

— Excellent ! Alors, on se voit demain, le Chat ! Et j'y pense… un chat… ça n'aime pas trop l'eau, hein ? conclut Paul en me donnant une tape amicale sur l'épaule.

Il sortit du chalet avec le sourire fendu jusqu'aux oreilles, laissant paraître sa « calvitie dentaire » de la gencive supérieure.

— Pis, n'oublie pas ta tablette, me répéta-t-il avant de monter les cinq marches menant au chemin du Havre.

Chapitre 17

Le lendemain matin, à 8 h tapantes, ma mère me déposa devant le 104, rue Roy. L'Aréna Bertrand-Lepage était un édifice fait sur le long, blanc et orange brûlé. Un petit aréna comme on en retrouve dans chaque petit village au Québec. Comme les églises dans le temps, chaque paroisse possède le sien. À la différence que les églises québécoises sont maintenant vides.

J'entrai donc par la porte de côté comme me l'avait spécifié le vieux pêcheur. De l'extérieur, je pouvais entendre les cris et les encouragements des partisans des bouts de chou qui devaient sauter sur la glace pour entreprendre leur partie. J'ouvris la porte et atterris directement dans le garage de la Zamboni, qui trônait au milieu de la place.

De vieux néons au plafond éclairaient l'endroit. Une pièce sans fenêtre avec un établi rempli d'outils rangés et accrochés par ordre de grandeur, sur le mur. Des flaques d'eau ici et là jonchaient le sol. Sûrement de la neige venant de la glace qui avait fondu. Comme bruit de fond, un succès musical country sortait d'une vieille radio AM-FM à roulette, déposée sur l'atelier. L'antenne «raboudinée» de la radio tenait par du ruban noir de hockey. Les cris et soubresauts retentissaient des estrades au loin.

— Y a quelqu'un?

— Oui, oui, je suis ici! Derrière la Zamboni, me répondit Paul d'une voix étouffée, la tête enfouie dans la carcasse métallique entourant le moteur de la surfaceuse. J'arrive!

Je fis le tour de la Zamboni et le trouvai assis sur une caisse de lait Natrel de plastique bleu, la moitié du corps perdu dans la «machine».

— Bon, j'ai fini! Il était temps. Je devais changer les bougies d'allumage, me dit-il en s'essuyant les mains sur une vieille guenille noircie par la graisse et l'huile. Elle avait de la difficulté à partir, la maudite…

— T'es à l'heure pile, Christ, c'est parfait. Il nous reste environ quarante minutes pour réparer la «Bête». Les jeunes ont déjà commencé la partie et je dois surfacer la glace après celle-ci. On n'a pas grand temps devant nous. Viens, suis-moi! Ici, dans mon atelier, la connexion Internet n'est pas très bonne. Elle est meilleure près des estrades. Il paraît que la «machine» qui diffuse les ondes se trouve dans le bureau de la direction, près du vestiaire des visiteurs.

— On dit « modem ».

— Hein ?

— Oui, la machine qui transmet les ondes, ça s'appelle un modem.

— O.K. Un modem.

Nous sortîmes par la grande porte de l'atelier qui donnait sur l'intérieur de l'aréna. Cette grande ouverture devait servir à sortir le monstre mécanique de sa tanière. Elle était située à l'extrémité nord de l'édifice. Nous dûmes faire le tour de la patinoire en longeant un tapis caoutchouté noir pour nous rendre devant les estrades. Sur la glace, les enfants s'en donnaient à cœur joie et couraient après la rondelle comme Paul nous l'avait si bien décrit. Comme un troupeau de moutons ! Je souris en m'imaginant la tête des enfants remplacée par celle de moutons.

— Bêêê…

On passa devant un couloir peint bleu, blanc, rouge à l'effigie des couleurs de l'équipe locale. Ça devait être le couloir qui menait à l'enclos des moutons. À peine le corridor passé, le vieux pêcheur s'arrêta net.

— Tiens, c'est ici !

— Ici ?

— Oui ! En plein ici !

Le vieux pêcheur s'était arrêté sans crier gare devant les estrades. À notre gauche, la glace et les équipes de moutons, et à notre droite, les estrades et la foule remplie de partisans déchaînés.

— Mais là, est-ce que je me branche ici ? Est-ce que vous connaissez le mot de passe pour la connexion Internet ?

— Attends un peu. Ne sors pas ta tablette tout de suite. De mémoire, le mot de passe est inscrit sur une affiche dans le couloir du vestiaire… Donne-moi quelques secondes.

Nous étions là, devant la foule, au niveau de la glace, sur le tapis en caoutchouc qui faisait le tour complet extérieur de la patinoire et des bandes blanches. Le vieux pêcheur balayait du regard les moutons sur la glace et ses yeux surfaient de gauche à droite dans chaque recoin de l'aréna. Les bruits et encouragements de la foule résonnaient au gré des efforts des moutons. Soudainement, il se pencha vers mon oreille pour que je puisse mieux l'entendre et me demanda :

— Qu'est-ce que tu vois, Christ ?

— Je vois quoi ?

— Dis-moi ce que tu vois.

— Ben là… Qu'est-ce que je vois, qu'est-ce que je vois… Vous parlez d'une question. Votre question est vague… Qu'est-ce que je vois ? répondis-je en levant les yeux vers la patinoire, surpris par sa question étrange.

Il ne bronchait point et attendait que je me lance.

— Euh, une glace ? Des joueurs ? Des arbitres ?

— Et encore ? me relança-t-il. Sois plus précis…

Je plissai les yeux pour mieux me concentrer et voir quel détail m'échappait. Sa question était vraiment bizarre.

— Encore ? Ben attendez… Je ne sais pas trop… Euh… Il y a une équipe avec un gilet vert et blanc. Une équipe avec un gilet bleu, blanc, rouge. Deux arbitres aux gilets zébrés. Une rondelle. Deux buts. Une glace. Des affiches géantes de commanditaires sur les murs derrière les bancs des joueurs. Deux entraîneurs par équipe. Un jeune marqueur assis près du banc des punitions qui a un doigt dans le nez. Et c'est ça, un joueur des « vert et blanc » est assis au banc des punitions. Mais pourquoi me posez-vous cette…

— OOOHHH ! s'exclama bien fort la foule sur le tir manqué devant le filet laissé ouvert par le gardien des vert et blanc.

Le vieux pêcheur et moi tournâmes notre regard vers le fond de la zone où l'action se déroulait. Il avait failli y avoir un but.

— C'est bien, Christ, mais ce n'est pas la bonne réponse. Élargis ton champ de vision. Prends le temps de bien observer partout. Fais comme le Grand Héron, sois conscient de ton environnement.

Encore plus intrigué par son commentaire, je me mis en tête d'élargir mon champ de vision. Je levai la tête, regardai le plafond de l'aréna, les murs. Je me retournai face à la foule. Les estrades étaient bondées. Les moutons sur la glace avaient emmené leurs supporteurs.

— Ben là, je vois des partisans. Plein de partisans. Des partisans des Bombardiers et des Rafales. Plus de ces derniers que les autres…

— Continue, t'es dans la bonne direction.

— Ben… euh, il y a des parents, beaucoup de parents, des enfants, des personnes plus âgées, sûrement les grands-parents des moutons, et c'est tout.

— Belles observations. Tu y es presque… Que font les partisans ?

— Ils encouragent leur équipe favorite. Ils crient… Ils brandissent les bras… Ils se lèvent de leur siège quand l'action devient excitante. Tous les grands-parents, les parents et les…

À ce moment, j'arrêtai de parler. J'étais sans mot devant le spectacle auquel j'assistais. Je n'entendais plus les encouragements de la foule tellement j'étais estomaqué. Devant moi, je pouvais voir une cinquantaine de parents et de grands-parents, assis sur le bout de leur banc, encourager avec énergie leur progéniture sur la glace, et assis à leur côté, dans le fond de leur siège, leurs enfants, la tête penchée sur une tablette numérique ou un téléphone intelligent, la faible lueur d'un écran éclairant leur visage. Tous ressemblaient à des longs cous. Tous, sans exception.

Le vieux pêcheur souriait. Il savait que je venais de trouver la réponse à sa question. J'étais là, dos à la patinoire, devant une partie de la foule en délire et une autre partie de la foule complètement obnubilée par un écran hypnotique.

— Et le but! scanda alors la vague de partisans qui se levèrent d'un bond pour applaudir à tout rompre.

Debout, les parents et grands-parents étaient en extase à crier des «Bravo!» «Super!» «Wouhou!» pendant que tous les enfants des estrades sans exception étaient plongés dans un autre monde. De jeunes enfants d'à peine trois ans jusqu'à des adolescents plongés dans un état semi-comateux numérique. C'était pathétique!

— Et Christ, t'as remarqué tous les jeunes qui ont le nez sur leur tablette... Pas un seul n'est conscient que son frère ou sa sœur joue un match de hockey. Pire, je serais prêt à gager que tous n'ont même pas conscience qu'ils sont à l'aréna !

— C'est incroyable ! C'est vraiment grave... Ils n'ont même pas bougé d'un seul poil quand il y a eu le but ni quand les cris et les trompettes des partisans ont retenti...

— Est-ce que t'as remarqué autre chose ? me relança à nouveau le vieux pêcheur.

— Encore une question ?

— Oui, mais celle-là est encore plus difficile.

Mis au défi à nouveau, je scrutai du regard attentivement tous les enfants-zombies qui étaient hypnotisés par leur écran sans trouver de réponse à la dernière question. Je haussai les épaules et fis signe de la tête que non, je n'avais rien remarqué de plus.

— Regarde bien attentivement les enfants dans les estrades... Ils ont tous le cou étiré sur leur écran... Tous... Mais, est-ce que ce sont tous les enfants qui ont des tablettes numériques entre les mains ?

— Non.

— Non. Et voilà. Non !

Son observation m'apparut d'une évidence! Tous les enfants dans les estrades avaient le nez rivé sur un écran, mais ce n'était pas tous les enfants qui avaient une tablette numérique entre les mains!

— Tu vois, même les enfants qui n'ont pas de tablette ou de cellulaire entre les mains sont penchés sur leur voisin, le regard perdu dans l'univers virtuel d'une application ou d'un jeu.

— Eux aussi, ils ne savent même pas que leur frère ou sœur vient de compter le premier but, dis-je.

— Non seulement ça, mais ils ne sont même pas conscients qu'ils se trouvent près d'un enfant de leur âge, peut-être même leur frère… Il n'y a que la tablette qui existe.

— Mais comment…

— C'est exactement ce que je tentais de t'expliquer le premier matin où tu es venu au quai. Les enfants, même en très bas âge, qui utilisent ces tablettes vont grandir avec un grand vide. Un manque total de conscience de ce qui les entoure. Ils vont non seulement se développer avec un manque de conscience de leur environnement, mais avec un manque de conscience des autres! Habiletés sociales, zéro! Comment veux-tu apprendre à communiquer avec les autres enfants de ton âge si ton écran devient ton meilleur ami et que tu passes la majeure partie de ton temps avec lui? On est en train de créer une génération qui souffrira d'une énorme carence en relations humaines. Regarde les deux enfants dans la cinquième rangée, ils sont côte à côte, les deux regardant le même jeu, et ils ne se sont pas adressé un seul mot depuis quinze minutes! Et c'est tout le temps comme ça. Et ça, c'est sans compter toutes les études scientifiques qui nous disent que l'utilisation des écrans et des cellulaires en bas âge n'est pas trop recommandée dans une période où le cerveau est en plein développement et a besoin de stimulation physique, créative, tactile, d'interaction…

— Ils ne sont pas conscients de leur environnement, mais ils ne sont pas non plus conscients des autres? répétai-je au vieux pêcheur.

— Exact! Le jeune zombie qui passe son temps sur l'écran n'a pas conscience de son environnement, ni conscience des autres, mais surtout, il n'a pas conscience de lui-même. En psychologie, on dirait «conscience de soi».

Paul fit une pause, respira profondément et reprit.

— Un enfant absorbé par son écran, que ce soit une tablette, un iPod ou un jeu vidéo, perd toute conscience ou connexion à lui-même. Il ne sait même pas s'il a faim, s'il a soif, s'il a envie d'aller à la salle de bain. Il en oublie qui il est et ses propres besoins. Il ne fait que jouer dans son monde virtuel, sans cesse et sans cesse. Il oublie où il est, avec qui il est, qui il est et aussi le temps… Le rapport à lui et à l'autre cesse d'exister. Il n'y a plus que le mouvement de ses doigts sur la tablette qui nous rappelle qu'il est encore en vie.

— Un zombie, quoi, conclus-je.

— Le pire dans tout ça, c'est que les parents ne voient même pas ça... Eux aussi, ils ne sont pas conscients de ce que vivent leurs enfants. Et parfois, même souvent, les adultes deviennent des zombies !

Tout en poursuivant notre discussion, nous nous dirigeâmes vers le couloir menant aux vestiaires quand le vieux pêcheur s'arrêta à la hauteur de la première rangée de sièges où se trouvait un enfant de sept ans, la tête penchée sur sa tablette, et lui demanda :

— Excuse-moi, mon p'tit homme, peux-tu me dire le pointage de la partie ?

Sa question resta sans réponse. Le garçon resta là sans bouger, la tête penchée, hypnotisé par sa tablette. Le vieux pêcheur répéta sa question, mais un peu plus fort cette fois-ci.

— Excuse-moi, mon p'tit homme, peux-tu me dire le pointage de la partie ?

Toujours pas de réponse à sa question, j'étirai alors le bras et tapotai l'épaule gauche du jeune garçon. Il releva la tête. La stimulation physique sur son épaule le ramena dans la réalité.

— Excuse-nous, on voudrait savoir le pointage de la partie.

Les sourcils relevés, un peu surpris par ma question, il ouvrit la bouche et dit :

— Cent vingt-cinq points ! J'ai accumulé 125 points dans ma partie.

Chapitre 18

Assis sur le banc dans l'entrée principale de l'aréna, nous poursuivîmes notre discussion sur ce dont nous venions d'être témoins.

— Ce que je viens de voir est surréaliste, commençai-je en pointant ma main droite en direction du couloir menant à la patinoire. Absents, ils sont complètement absents ! Comme vous dites, il n'y a aucun signe de vie à part leurs doigts qui glissent sur leur écran. De vrais zombies !

— Ouaip ! Aucun signe de vie ! J'en ai discuté justement la semaine passée avec mon ostéopathe, une vraie spécialiste du corps humain. Elle me racontait que lors des traitements qu'elle fait à ses patients, elle peut sentir le mouvement des organes internes et des fluides. Et elle disait que notre corps est constamment en mouvement. La vie est mouvement. Toujours en réaction.

— C'est quoi le rapport avec la tablette ?

— Écoute. Depuis le début des temps, de la création, de notre système solaire à la plus petite molécule dans notre corps, tout est en mouvement, en réaction. C'est ainsi que la vie est. Quand une personne est zombifiée devant sa tablette numérique ou son cellulaire, le corps cesse d'être en mouvement. Elle n'est plus en réaction. Le corps s'arrête, s'immobilise. L'enfant se retrouve esclave d'une tablette au lieu d'aller jouer dans l'herbe et de sauter à pieds joints dans les flaques de boue. Avec l'arrivée de la télévision dans nos salons, l'Homme a ralenti son rythme. Il est devenu peu à peu passif. Depuis, la télévision s'est miniaturisée. L'écran du gros téléviseur avec un contour en similibois est devenu tellement petit que maintenant, nous pouvons le traîner avec nous partout ! Jusque dans les poches de nos manteaux !

— Mais les parents laissent faire ça sans rien dire ?

— Bah, ils le savent, mais sont inconscients du réel danger à long terme. L'écran numérique est devenu une sorte de gardienne qui permet aux parents d'avoir un peu de répit quand leurs enfants sont impatients au restaurant, à l'aréna ou à l'épicerie. Eux-mêmes se font prendre au jeu de la tablette numérique. Tu remarqueras bien un couple attablé, au restaurant. Les deux personnes ne s'adressent pas un seul mot durant le repas ! Leurs esprits sont captivés par leur écran. Elles sont physiquement au restaurant, à la même table, mais seules en même temps.

— Oui, même mes parents font ça ! Et moi-même avec mes amis à la cafétéria de l'école. Mais qu'est-ce qu'il faudrait faire ? On ne peut pas interdire la tablette…

— Non, c'est vrai. On ne peut pas faire ça. Nous ne pouvons arrêter l'évolution, les nouvelles technologies. Il faudrait plutôt encadrer davantage son utilisation, surtout auprès de jeunes enfants. Pense aux règles qui entourent la sortie de nouveaux jouets concernant les limites d'âge ou à celles qui précèdent le visionnement d'un film, par exemple : « Huit ans ou plus – Ce film comporte des scènes pouvant ne pas convenir à de jeunes enfants. La supervision des parents est conseillée. » Jamais, au grand jamais, on a écrit sur les boîtes de tablette numérique : « Limite d'âge X, limiter l'utilisation à trente minutes par jour. Peut créer une dépendance, des carences sociales ou peut nuire à la présence d'esprit de vos enfants. » Certains jeux et applications agissent un peu comme les machines à sous des casinos ou la loterie vidéo sur le cerveau humain. De la musique et du son entraînant, des effets lumineux, des récompenses à des niveaux atteints, une gratification de performance quant aux concurrents… Tout cela peut créer une dépendance. Plus tu joues, plus tu veux rejouer. Et quand les enfants ne peuvent pas jouer pour diverses raisons, c'est la fin du monde, la crise numérique, la catastrophe ! On les entend dire : « Qu'est-ce que je vais faire de ma journée sans ma tablette ! Qu'est-ce que je vais faire de ma vie ! C'est plate ! Y a rien à faire ! Je peux jouer au jeu vidéo ? »

Et là, c'est la chute. Le jeune cherche désespérément à se «connecter», à tout moment, à chaque chance qui s'offre à lui, par tous les moyens s'il le faut! Il vendrait même sa mère pour une seule minute de connexion! On regarde les jeunes et on dirait qu'ils sont en dépression, sans énergie vitale. Comme toi, présentement, tu es en sevrage de numérique. En manque de tablette. En manque de connexion. Il te manque une partie de toi-même. Mais une fausse partie de toi-même.

— C'est exactement ce qui m'est arrivé.

— Parlant de connexion, tu dois être en manque! Regarde sur le mur devant toi, il y a l'affiche qui indique le code d'accès au réseau sans fil de l'aréna.

— C'est vrai! Faut que je vous trouve le mode d'emploi du moteur de votre surfaceuse...

— Mon moteur de surfaceuse? À vrai dire, il fonctionne parfaitement. Je devais seulement changer les bougies de la Bête! Je t'ai invité à l'aréna parce que je voulais seulement te montrer ce que je vois chaque fois que je mets les pieds à l'aréna... L'ampleur du phénomène des zombies!

— En tout cas, vous avez réussi!

— Mais, tu peux tout de même en profiter. T'as le code de...

— Bof… ça ne me dit pas trop, là. J'ai soudainement moins le goût de me connecter.

— O.K. d'abord ! Veux-tu que je te dépose en bas de la rue du Parc ? Je dois passer par le quai pour aller préparer mon bateau pour demain. Je m'en vais faire un tour au large. On annonce une belle journée demain et la marée sera très haute en avant-midi. Une marée parfaite pour voir des loups marins et des bélugas.

— Des bélugas ? Blancs ? Je n'ai jamais vu ça en vrai…

— Oui ! Pis, ils viennent tellement près du bateau qu'on peut les toucher. Si ça te tente, j'aurai peut-être besoin d'un apprenti matelot… Mais, avant tout, avise tes parents.

— Oui ! Oui ! C'est vraiment cool ! Promis.

— O.K. Demain matin, 9 h. La marée sera à son plus haut. Je t'attendrai au bout du quai.

Nous nous levâmes et dirigeâmes vers la porte d'entrée de l'aréna quand une jeune maman entra en trombe suivie de ses deux enfants. Le plus jeune, qui avait neuf ans environ, tirait son sac de hockey sur roulettes pendant que je lui tenais la porte. Il me répondit poliment un beau merci. Son frère, plus vieux en apparence, marchait derrière lui, le regard sévère, les bras croisés. Il parlait à sa mère sur un ton assez dur.

— Mais maman, c'est injuste. Allez! Je peux encore jouer à ma nouvelle application? S'il te plaît, t'es pas *cool*...

— Non, Arnaud, c'est non! lui répondit sa mère, impassible. On vient voir et encourager ton frère pour sa partie de hockey. Pas question que tu perdes ton temps sur ta tablette.

Le frère plus vieux poursuivit son argumentation en nous croisant à l'entrée de l'aréna et on entendit des paroles incompréhensibles et des grognements...

— Les zombies sont partout! m'exclamai-je en riant de tout cœur. On est envahis!

— Au moins, il y a de l'espoir! La mère n'a pas cédé. Elle lui a imposé une limite!

Le camion du vieux pêcheur, un GMC rouge vif, était garé dans la rue devant l'entrée menant à l'aréna. À première vue, il me semblait récent. En montant dans son camion, il me dit:

— J'ai acheté ce camion-là au printemps. Il sent encore le neuf! C'est fou comment c'est fort, ces machines-là. En plus, je l'ai eu pour un bon prix! Avec plein d'options à part ça, comme les sièges avant chauffants, la caméra de recul et le système de naviga...

Ting!

Une sonnerie, que je reconnaissais drôlement, venait de retentir du fond de mon sac à dos. Le signal que des messages de l'au-delà numérique venaient d'atterrir dans ma tablette numérique.

— Et un système Wi-Fi de connexion Internet intégré! m'empressai-je de conclure.

— Ah ben! Ça parle au diable. Je ne le savais pas «pantoute». Même ma machine est infectée par le virus des zombies!

Chapitre 19

Sur le chemin du retour, le vieux pêcheur revint sur les dernières minutes passées à l'aréna. Nous descendîmes tranquillement la côte menant au quai. La vue sur le fleuve était à couper le souffle. Pour l'une des premières fois, j'observais le paysage en voiture, habitué à avoir la tête penchée sur l'écran de ma tablette.

— Tu sais, Christ, quand quelqu'un a le nez collé à sa tablette, il ne peut pas être totalement présent, ici et maintenant. Il ne vit pas dans le moment présent.

— Le moment présent ? Oui, j'ai déjà entendu ça. Ma mère m'a déjà parlé de ça. Elle lit beaucoup de livres de développement personnel.

— En fait, les termes *moment présent* sont sur toutes les pages des livres de développement personnel et ils ne peuvent être plus d'actualité aujourd'hui. Tu en as été témoin à l'aréna. Les enfants qui avaient le nez collé à leur tablette n'étaient tout simplement pas présents. Ils y étaient physiquement et c'est tout. On ne pouvait pas dire qu'ils étaient présents à l'autre, à leur entourage et même à eux-mêmes. Ils ne peuvent savourer l'instant présent, se souvenir d'un événement marquant ou ressentir les sentiments et émotions des autres quand leur attention est portée sur leur écran. Ils ne voient pas, n'entendent pas et ne ressentent rien.

— Le jeune qu'on a croisé et qui suppliait sa mère à la sortie de l'aréna ? Il ne jouait même pas sur sa tablette, mais son esprit était encore absorbé par celle-ci.

— C'est le nœud de la dynamique, me dit le vieux pêcheur avant de poursuivre. Tu remarqueras que lorsqu'un enfant joue à une application ou à un jeu sur sa tablette, il vit dans un monde virtuel qui lui crée des émotions, du plaisir. Un faux plaisir, un plaisir virtuel. C'est de l'amusement perpétuel où tout est là et où il n'a qu'à se servir sans effort. Aucun effort de création, aucun effort intellectuel, aucun effort physique, aucun talent à acquérir ou qualité sportive à développer.

— Je suis d'accord avec vous !

— Tout ça le valorise et lui apporte un faux sentiment de puissance et de bonheur. Le jeune associe son bonheur ou sa bonne humeur à son monde virtuel. Il ressent de la joie quand il est plongé dans ce monde. Il associe sa Joie, avec un grand J, à sa tablette. Sa joie est intimement associée à celle-ci. Et quand on le sort de sa zone virtuelle, son monde s'écroule. Il se sent frustré, il boude, il ne sait plus quoi faire, il trouve ennuyeux tous les jouets de sa salle de jeux et il ne cherche qu'à…

— Retrouver son faux monde et sa joie virtuelle! conclus-je.

— C'est à ce moment qu'on entend: «C'est plate! Y a rien à faire… Je ne sais pas quoi faire…» L'enfant associe le plaisir à sa tablette. Il est conditionné à s'amuser avec des applications ou des jeux vidéo créés par des programmeurs qui scénarisent et pensent pour lui… Et surtout, qui créent pour lui. L'enfant n'a plus le réflexe de créer lui-même son propre jeu, son propre scénario avec des jouets, des objets, des crayons, des boîtes de carton, des bouts de branches, des roches, etc. Il perd la connexion avec sa propre créativité.

— C'est vrai… je me suis surpris moi-même, pas plus tard qu'hier, à jouer les deux mains dans l'eau avec des coquillages et des petits poissons, avant que je m'enfonce dans le fleuve.

— Ah! Tu vois. En l'absence de connexion virtuelle, en peu de temps, tu as retrouvé tes réflexes créatifs! Tu t'amusais avec pas grand-chose… Des roches, des coquillages, du sable, de l'eau…

— Y a de l'espoir, donc? dis-je en lui lançant un clin d'œil.

Il me sourit de tout son dentier en arrêtant son camion au coin du chemin du Havre et de la rue du Parc et dit:

— Les zombies peuvent redevenir des humains, faut croire! On se voit demain!

Chapitre 20

Le soleil brillait dans un ciel sans nuages à l'horizon et la journée s'annonçait radieuse comme l'avait prédit le vieux pêcheur. Déjà, à 9 h, nous étions dans son bateau toujours accosté au quai. Deux grosses cordes attachées à des poteaux retenaient le bateau. Son embarcation, rouge et blanche, devait faire cinq mètres environ. Le vieux pêcheur avait les deux mains dans le moteur. Il ajustait quelque chose.

— Bon, c'est fait! J'ai connecté les fils de la batterie au moteur. On va pouvoir le démarrer. Prends deux vestes de sauvetage sous le banc du milieu et on va être prêts à partir. Avant, va détacher la corde en avant du bateau, je défais celle de derrière…

En moins de deux minutes, Paul avait démarré le moteur et nous avions quitté le quai en direction du large.

Le vieux pêcheur avait dû faire ça des centaines de fois, car il ne regardait même pas où il allait. Nous évitions les grosses roches qui n'étaient pas apparentes à la surface de l'eau. Le bateau, tel un serpent de mer, se faufilait à la surface de l'eau.

Devant nous, je pouvais voir à peine l'autre rive. Partout, autour, on n'y voyait que de l'eau. Notre embarcation avançait tranquillement vers le large. Nous avions rendez-vous avec les bélugas.

Aux commandes du bateau, les deux mains sur le volant, le vieux pêcheur savait exactement où aller, malgré le fait qu'il n'y avait aucune ligne tracée à la surface de l'eau ou des panneaux d'indication de la sortie pour le repaire des bélugas. Assis sur le banc en avant, j'avais le vent dans les cheveux, le sourire étampé au visage comme un chien qui sort la tête de la voiture, la langue pendouillant au vent. Plus j'observais au loin, plus j'étais impressionné par l'étendue de l'eau. De chaque côté, il n'y avait que de l'eau. Rien que de l'eau. Le ciel et le soleil, aussi.

Après quinze minutes à naviguer sur le fleuve, sans m'en aviser, le vieux pêcheur éteignit le moteur et dit :

— C'est ici !

— Mais comment savez-vous que c'est ici ?

— Je le sais. Secret de marin !

Nous étions là, à flotter en plein centre du fleuve Saint-Laurent, au milieu de nulle part, sous un soleil radieux. Au loin, des oiseaux survolaient la surface de l'eau.

— Et là, on fait quoi ? lui demandai-je.

— Ben là, on écoute.

— On écoute ?

— On écoute...

— Ben y a rien à écouter ! On n'entend que le bruit de l'eau qui cogne sur le bateau...

— C'est exactement ça, Christ, on n'écoute rien ! On écoute le vide... Et on respire l'air du large. Tu vas voir comme c'est apaisant !

Pour la première fois de ma courte vie, j'étais témoin d'un silence impressionnant. Pas un seul bruit dans une étendue aussi vaste... C'était stupéfiant. Je regardais l'eau devant moi et pas un seul bruit n'«émanait». Le vide. R-I-E-N. Le vieux pêcheur chuchota alors :

— Observe et écoute, Christ... Le calme total. Regarde aussi à ta gauche...

Je me retournai et vis alors deux bélugas blancs qui glissaient à la surface de l'eau. Ils plongeaient et remontaient en s'approchant de plus en plus de nous.

— Wow! Ce n'est pas possible… Je n'en ai jamais vu d'aussi proche!

— Attends, ce n'est rien, ça! Si on reste calmes, on peut quasiment les toucher.

— Aïe, faut que je les prenne en photo et les filme, mes parents ne me croiront jamais, répondis-je au vieux pêcheur en fouillant dans mon sac à dos à la recherche de ma tablette numérique.

J'ouvris ma tablette et sélectionnai le mode «Photos». Je pris mon écran à deux mains et le mis devant moi, prêt à démarrer l'enregistrement de la vidéo dès que les bélugas s'approcheraient. Ce qu'ils ne tardèrent pas à faire. Je pesai alors sur le bouton rouge et regardai si l'image était bien cadrée dans mon écran. Je restai en silence à filmer la scène. Après quelques minutes d'enregistrement, je dis au vieux pêcheur:

— Wow! Je n'ai jamais rien vu de tel. Je peux même voir la pupille de leurs yeux. Regardez, Paul! lui dis-je en pointant mon doigt sur mon écran.

Le vieux pêcheur s'approcha de moi tranquillement pour ne pas effrayer les bélugas et dit:

— Mais Christ, qu'est-ce que tu fais là?

— Ben, vous voyez, j'enregistre une vidéo des bélugas!

— Oui, ça, je le sais. Je reformule ma question... Pourquoi regardes-tu les bélugas à travers ton écran numérique quand ceux-ci sont là, vivants, à deux mètres de toi ? Au lieu de regarder ton écran, regarde-les en vrai... Ils sont là, devant toi ! Vis le moment... Ça ne t'arrivera peut-être plus jamais de revivre une telle expérience. Profite du moment présent ! Savoure-le... réellement !

La remarque de Paul m'avait complètement abasourdi. J'étais là, depuis une dizaine de minutes, seul devant des mammifères blancs magnifiques et je les observais par le biais de mon écran numérique. Pas foutu de profiter du moment présent et de les observer pour vrai. D'être là, avec eux... Je déposai alors ma tablette sur le banc le plus proche et m'accoudai sur le bord du bateau à regarder les bélugas s'approcher, plonger et se montrer le bout du nez. Dans l'heure qui suivit, le vieux pêcheur et moi étions côte à côte, penchés sur l'eau sans dire un seul mot. Nous étions là, présents aux bélugas. Profitant du moment présent. Connectés aux bélugas.

Chapitre 21

— Va falloir commencer à penser à y aller tranquillement, Christ… La marée commence à baisser et on doit
rentrer au quai bientôt.

— C'est vous le capitaine, Paul !

Le bruit assourdissant prit la place du silence dès que
le moteur fut remis en marche. Les bélugas se faisaient
plus rares depuis quelques minutes. Ils devaient proba-
blement eux aussi suivre le cours des marées.

Doucement, nous nous éloignâmes du repaire à bélugas, en direction de la rive sud du fleuve Saint-Laurent.

— Pendant qu'on est ici, je vais en profiter pour
passer derrière la petite île juste à notre droite… l'île
aux Basques. Faut que je te montre… Il y a souvent des
troupeaux de loups marins par là. Tu vas aimer ça. Ils
sont vraiment curieux quand on approche. On en a pour
une quinzaine de minutes.

— Je vais préparer ma tablette pour les filmer, répondis-je en lui lançant un clin d'œil.

Nous avions mis le cap sur l'ouest, pour contourner l'île aux Basques et aller rencontrer les loups marins... ou ce que l'on appelle plus communément des «phoques». Le vieux pêcheur avait augmenté la vitesse de l'embarcation et j'avais l'impression que le bateau volait sur l'eau tellement le fleuve était calme. Assis en avant de l'embarcation, j'envoyai la main au vieux pêcheur debout, les deux mains sur le volant et regardant au loin, à l'affût des loups marins. J'avais beau lui crier un mot, le bruit du moteur étouffait mes paroles. Il leva son pouce droit en signe d'approbation. Je me retournai donc et admirai le paysage.

À la hauteur de l'île, je ressentis une vibration sur le banc. Pas une vibration due aux vrombissements du moteur, des vibrations courtes et saccadées. Celles-ci venaient de ma tablette numérique. J'ouvris l'enveloppe protectrice de cuir et, à ma grande surprise, l'icône de connexion Internet était affichée en haut à droite de mon écran.

— Ah ben! C'est en plein milieu du fleuve que tu te décides à te connecter, lui dis-je comme si elle me comprenait.

J'ouvris donc l'application de Facebook et ma boîte de réception... Trois cent quarante-cinq nouveaux messages sur mon mur, cinquante-neuf demandes d'amis, des avertissements de mises à jour de mes applications... et des centaines de messages et de vidéos affichés par mes amis que je n'avais pas consultés depuis le début des vacances.

Je me retournai alors, tout sourire, en montrant ma tablette au vieux pêcheur. Il me répondit par un beau sourire de gencives. Il m'avait confié, avant notre départ du quai, ne jamais porter son dentier lorsqu'il partait au large. Superstition? Ou avait-il peur de le perdre dans le fleuve? Il ne me l'avait pas spécifié.

Je m'installai dans le fond du banc et ouvris mes messages un à la fois. Je répondis à mes amis les plus proches en premier.

— Aïe, *man*! Kessé k tu deviens? Pas de *news* de toi depuis long.

— Christ! ETK, ta manké tout un *party* hier.;)

— El'gros? Es-tu mort, *dude*?

— Salut les *boys*, vous ne devinerez jamais d'où je vous écris... en plein milieu du fleuve Saint-Laurent... Capoté!

— Sérieux, *man*? *Cool*. T'as Internet, là?

Les amis ne mirent pas de temps à me répondre.

J'étais vraiment content de pouvoir «reconnecter» avec mes amis… Depuis bientôt un mois, j'étais devenu absent du réseau. Un à un, je leur écrivis quelques mots. Certains avaient mis des liens de vidéos de chutes, ou de *fails*, comme on dit en anglais. C'est vraiment drôle de voir quelqu'un «se planter»…

— Ah! Pis celle-là… C'est trop mourant. Je la télécharge, me dis-je en plein éclat de rire.

Ça devait faire environ une quinzaine de minutes que je répondais à mes messages, la tête plongée dans ma tablette. La vitesse du moteur avait ralenti la cadence au minimum et on entendait à peine le bruit du moteur. Nous devions nous approcher des loups marins. Je relevai la tête pour voir si je pouvais apercevoir quelques phoques sortir de l'eau. À une vingtaine de mètres du bateau, je vis une première tête noire tachetée de gris avec deux grands yeux sombres, curieux, qui nous observaient.

— Aïe! Paul! Y en a un! Y en a un! lui criai-je en me levant du banc et en m'avançant vers la proue du bateau. Y en a un autre là-bas aussi! Regardez! Ils sont là! Un autre… et encore un autre!

Ils étaient partout! Je me tournai donc pour voir à gauche du bateau où les loups marins sortaient la tête de l'eau comme dans un jeu de marmottes que l'on assomme avec un maillet dans les parcs d'attractions. Je pointai alors du doigt les bébés qui étaient plus téméraires que leurs congénères adultes. En me retournant, je criai au vieux pêcheur :

— Regardez, Paul ! Des bébés loups mar…

Paul n'était plus dans le bateau ! Il n'y avait plus personne aux commandes. Paniqué, je lâchai ma tablette sur le banc à côté de moi et en deux enjambées, j'arrivai à l'arrière du bateau. Le vieux pêcheur était là, allongé dans le fond de l'embarcation, derrière la grosse boîte du moteur. Il avait dû s'effondrer pendant le trajet.

— Paul ! Paul ! Ça va ? Qu'est-ce qui s'est passé ? M'entendez-vous ? Excusez-moi ! Excusez-moi ! Je ne vous avais pas vu… J'étais dans…

Je lui touchai le côté du visage et de l'épaule. Il entrouvrit à peine les yeux.

— Avez-vous mal quelque part ?

Il arrivait à peine à bouger les lèvres et aucun son ne sortit de sa bouche. Il avait sûrement eu un malaise.

— Il faut que je vous amène à l'hôpital ! Ne me lâchez pas ici ! Il faut que vous voyiez un médecin !

J'étais en état de choc ! Au beau milieu du fleuve, j'étais seul avec un vieil homme à demi conscient et un moteur toujours en marche…

— Mais qu'est-ce que je vais faire ? Je n'ai jamais conduit de bateau de ma vie ! Je n'ai pas le choix... Je dois remettre les gaz à fond et le ramener au quai au plus vite ! Et l'ambulance... Il doit être conduit à l'hôpital le plus tôt possible !

Toutes ces questions se bousculaient dans ma tête et je tentai de ne pas céder à la panique. Le vieux pêcheur clignait des yeux et bougeait tranquillement sa main sur sa poitrine.

— Il doit absolument être transporté en ambulance à l'hôpital !

Au même moment où je me faisais la réflexion à haute voix, un « tintement » répétitif retentit sur le devant du bateau.

Ting ! Ting !

Les messages de mes amis résonnaient dans mon application Facebook encore ouverte.

— Ah ! Ce n'est vraiment pas le temps, les *boys* ! Il faut absolument que... que... Mais oui ! Mais oui ! Que je vous écrive !

Je me précipitai alors sur ma tablette et écrivis un message public à tous mes amis.

— SVP! CE MESSAGE EST SÉRIEUX. JE SUIS PRÉ-SENTEMENT DANS UN BATEAU EN PLEIN MILIEU DU FLEUVE SAINT-LAURENT À LA HAUTEUR DU QUAI DE TROIS-PISTOLES. LE CAPITAINE A EU UN MALAISE ET JE TENTE DE LE RAMENER AU QUAI. S.V.P., APPELEZ UNE AMBULANCE POUR MOI OU LES SERVICES D'URGENCE AU PLUS VITE. C'EST UNE QUESTION DE VIE OU DE MORT! MERCI! CHRIST.

En moins de temps que cela me prit pour écrire le texte de S.O.S., les messages sur mon mur abondaient.

— C'est fait, le gros!

— J'ai appelé au 911.

— J'ai appelé aussi…;)

Je lâchai ma tablette et commençai par regarder le fonctionnement de l'accélérateur. Il y avait un seul petit manche gradué avec les symboles + et −. Je le relevai et entendis le moteur accélérer. Tranquillement, je le poussai jusqu'au maximum et le moteur gronda de toutes ses forces à nouveau. Je mis les mains sur la roue du bateau qui servait à le diriger. Le volant était semblable à celui de mon jeu vidéo de course de voiture. Le vieux pêcheur respirait toujours et clignait des yeux en me regardant debout aux commandes.

Ce furent les vingt minutes les plus longues de toute ma vie.

Vingt minutes où j'étais totalement présent. Je voyais l'eau, le vieux pêcheur, les loups marins, les oiseaux dans le ciel, le soleil, la respiration lente du vieux pêcheur, le quai au loin, les roches dans le fond de l'eau. Conscient et présent. Totalement.

Je regardai Paul qui gisait à mes pieds au fond du bateau et ne cessai de lui répéter :

— Excusez-moi ! Excusez-moi ! Excusez-moi !

Il sourit péniblement et leva le pouce droit.

Chapitre 22

De la fenêtre de sa chambre d'hôpital, nous avions une vue spectaculaire du majestueux fleuve Saint-Laurent et du quai. En moins de cinq minutes, l'ambulance avait fait le trajet du quai jusqu'à la salle d'urgence et le vieux pêcheur avait subi une batterie de tests par les médecins sur place.

— Je m'en suis sorti pas si pire que ça, le jeune, dit le vieux pêcheur, habillé de la traditionnelle « jaquette » d'hôpital bleu poudre et assis sur son lit, devant le plateau de nourriture que venait de lui apporter un préposé. Une chance que tu es intervenu rapidement. Les médecins disent qu'à mon âge, ça arrive fréquemment, une chute de pression. Ils veulent encore me garder quelques jours et me faire des examens pour le cœur. Mais je vais être de retour sur l'eau dans pas long !

— Commencez par vous soigner avant… Il n'y a pas de presse à retourner sur le fleuve. Il sera encore là dans deux jours, la semaine prochaine et le mois prochain. Profitez du temps ici pour vous reposer. Profitez du moment présent, comme vous dites !

— Ouais, t'as ben raison. Il va encore y avoir des poissons dans le fleuve à ma sortie de l'hôpital.

— Je voulais encore m'excuser pour mon comportement sur le bateau… Je n'aurais jamais dû me connecter. J'ai été distrait et je n'avais pas remarqué que vous aviez eu un malaise… Je m'en veux tellement !

— Écoute, le jeune, l'important, c'est que tu m'as sûrement sauvé la vie et que maintenant tu sois conscient de l'importance d'être conscient. Je n'ai jamais dit qu'il ne faut plus jamais jouer à des jeux sur des tablettes ou qu'il ne faut plus jamais se connecter à des amis dans le monde virtuel. Il y a un temps pour ça et il faut simplement un certain équilibre dans son utilisation. C'est comme avec n'importe quoi. L'équilibre.

— Ouais ! C'est ça, le plus difficile. Le monde virtuel prend tellement de place dans nos vies et nous sommes constamment « attirés » à vouloir nous connecter. La vie n'a plus de sens sans la connexion au virtuel, au web.

— Et si la Connexion, avec un grand C, tu l'appliquais au monde réel ?

— Au monde réel ? Comment ?

— Oui, imagine-toi que tu peux retrouver la même sensation de plaisir que dans ta connexion virtuelle, mais dans une connexion à toi-même, aux autres et à tout ce qui t'entoure. Chaque geste que tu fais, chaque parole que tu dis, chaque sourire que tu émets, chaque regard que tu portes ont pour but d'établir une réelle connexion. La Connexion avec un grand C, la vraie, t'apportera mille fois plus de satisfaction que la connexion virtuelle. Tu voudras alors qu'elle se répète et se répète sans arrêt. Tu la chercheras dans chacune de tes rencontres, chacune de tes expériences et chaque seconde de ta vie. Tu voudras être totalement là, présent et connecté, chaque fois. Connecté à toi-même.

— Mais comment on fait? Je n'ai pas de bouton « Wi-Fi » marqué dans le front, moi.

— C'est très facile… Si tu veux, je vais te le montrer. Ce n'est pas sorcier.

— O.K. Je l'veux bien.

— Parfait! Alors, assieds-toi bien confortablement sur la chaise qui est là.

J'approchai alors la vieille chaise au cuir beige déchiré qui servait aux visiteurs des patients, près du lit.

— Bon, tu vas maintenant mettre tes deux pieds au sol, déposer tes deux mains sur tes cuisses, garder ta colonne vertébrale allongée, ta tête bien droite et fermer les yeux.

— Comme ça?

— C'est parfait! Et maintenant, je vais te montrer comment respirer. Tu vas te concentrer sur ta respiration. Tu vas prendre une longue inspiration par le nez, d'environ quatre secondes... tu retiens ton souffle, deux secondes... et tu expires ensuite par la bouche pour quatre secondes.

— Je prends une grande respiration par le nez de quatre secondes... Je retiens mon souffle pour deux secondes... Et j'expire par la bouche pour quatre secondes... Ce n'est pas facile...

— C'est excellent! Là, tu vas le refaire, mais en prenant conscience de ta lente respiration. Visualise l'air qui entre par tes narines, le chemin qu'il prend vers tes poumons. Sens le mouvement. Imagine l'oxygène qui est ensuite diffusé dans ton corps. L'énergie qu'il t'apporte.

— L'air dans mes poumons...

— C'est bien... Visualise maintenant ton corps, l'endroit où tu es assis, tes pieds qui touchent le sol, tes mains sur tes cuisses, ta position dans l'espace de la chambre d'hôpital. Sois conscient de tout ton corps. Sois présent à toi-même.

— Ça en fait beaucoup à gérer en même temps!

— Prends ton temps. L'important, c'est de se concentrer sur soi et de ne penser à rien d'autre. Ne penser à rien.

Si des pensées arrivent, laisse-les venir et elles partiront d'elles-mêmes. Garde à l'esprit que tu dois avoir une respiration lente et régulière. Tu verras la sensation que cela te procure. Garde la colonne vertébrale bien droite...

— Respiration lente et régulière...

— Sens aussi le mouvement à l'intérieur de ton corps. Le sang qui circule partout. La vie à l'intérieur de toi. Le calme en toi. La Connexion à toi-même.

— O.K., je recommence. J'inspire... Je retiens... J'expire... J'inspire... lui dis-je en ouvrant les yeux.

— C'est parfait. Garde les yeux fermés. L'important pour se connecter à soi-même, c'est de s'écouter. Laisse la détente te bercer. Imagine qu'une douce lumière émane de ta poitrine et de ton cœur et qu'elle s'étend partout dans ton corps... et aussi vers les gens qui t'entourent. Ton environnement.

Je commençai alors l'exercice de Connexion avec un grand C expliqué par le vieux pêcheur. Je devais me concentrer sur ma respiration et sur moi-même. Inspire, retiens, expire... Les yeux fermés. Ne penser à rien.

Après quelques cycles de respiration, j'avais réussi à suivre un rythme lent et je sentis que mon corps se détendait. J'avais l'impression d'être dans un sommeil éveillé, un peu comme lorsque je me réveille le matin et que je flâne dans mon lit. J'entendais le bruit de l'air dans mes poumons. Je pouvais même ressentir les battements de mon cœur. C'était une sensation nouvelle. C'était possiblement la première fois que j'étais conscient que la vie m'habitait, que je respirais, que je vivais. J'étais là, seul avec moi-même, à m'écouter. Je me sentais apaisé.

Après quelques minutes de Connexion avec moi-même, j'ouvris tranquillement les yeux. L'horloge sur le mur devant moi indiquait 15 h 35! J'avais fait l'exercice de respiration durant près d'une heure. J'avais l'impression que tout cela avait duré dix minutes!

— Paul, ça fait une heure que je…

Je me tournai vers le lit et je remarquai que j'étais seul dans la chambre d'hôpital. Le vieux pêcheur avait encore disparu. Je regardai par terre de l'autre côté du lit pour voir s'il n'était pas encore tombé, mais non. Pas de trace de Paul. Je me levai de la chaise et aperçus près du plateau de nourriture un bout de papier. Il y avait quelques mots griffonnés sur le napperon blanc :

— Salut, le jeune! Les médecins m'ont amené faire des tests. Tu avais l'air d'être vraiment en connexion! Je ne voulais pas perturber ta méditation. À plus! Paul.

— Hein? Je médite maintenant?

Chapitre 23

Plusieurs jours étaient passés depuis l'épisode de la balade en bateau qui se termina à l'hôpital. Nous arrivions vers la fin juillet et les journées commençaient à être de plus en plus chaudes. À vrai dire, *chaudes* est un grand mot, car dans cette région du Québec, les vents froids du large empêchent le mercure de flirter avec les trente degrés Celcius. Disons qu'à 24, tout le monde sortait sans sa petite laine sur le dos. Ici, pas besoin d'air climatisé.

Je n'avais toujours pas eu de nouvelles du vieux pêcheur depuis l'incident. Un matin, j'avais tenté de téléphoner à l'hôpital avec le téléphone à boutons fixé au mur de la cuisine. J'avais trouvé les coordonnées dans un vieux bottin de téléphone de la ville de Trois-Pistoles, les pages jaunies par les années.

— Hôpital de Trois-Pistoles, bonjour!

— Oui, allô! J'aimerais parler à...

— S.V.P., veuillez choisir parmi les options suivantes…

— Ah! Une machine! maugréai-je.

— Pour le service des urgences, faites le 1. Pour le département de natalité, faites le 2. Pour les chirurgies d'un jour, faites le 3, pour le…

— Maudite machine! Pas capable de mettre une vraie personne pour parler au téléphone, «coudonc»! Une connexion humaine…

— Pour parler à la réceptionniste, faites le zéro.

— Bon, zéro… comme dans «zéro communication humaine»…

Un bip retentit quand j'enfonçai mon index dans le chiffre 0.

— Bonjour! Désolé de vous faire attendre. À cause du nombre élévé d'appels, veuillez patienter, la réceptionniste répondra à votre appel sous peu. Merci.

— Encore la machine… Un nombre élévé d'appels? Voyons, on est dans un village de 3 456 habitants…

— Toutes nos lignes sont occupées. Ne quittez pas.

Je regardai le téléphone, incrédule, cherchant le bouton «Mains libres»…

— Ben voyons, Christ, c'est un téléphone de 1984, me dis-je tout haut.

À bout de bras, le long fil me permit d'aller au moins me chercher une cannette de thé glacé Nestea dans le réfrigérateur. Ma longue discussion avec la machine m'avait donné soif. Après quelques minutes, une voix humaine retentit du gros socle servant d'écouteur au téléphone :

— Hôpital de Trois-Pistoles, bonjour ! Comment puis-je vous aider ?

— Ah ! Euh... Bonjour ! Oui, j'ai un ami qui est à l'hôpital... J'aimerais savoir si je peux lui parler.

— Numéro de chambre ? répondit la réceptionniste à la voix nasillarde.

— Numéro de chambre... Hum... Je ne m'en souviens pas.

— Le nom de votre ami ?

— Paul... euh... Attendez... Paul...

— Paul ? C'est un prénom très commun à Trois-Pistoles.

— Euh... Vous allez rire de moi, mais je ne sais pas son nom de famille... Euh... monsieur Paul...

— Je reçois un nombre élévé d'appels, Monsieur…

— Paul… Euh… Désolé. Je suis embêté… Paul… Vous savez, le vieux pêcheur… Paul…

— Paul, le vieux pêcheur… répéta la dame à l'autre bout du fil, impatiente. Vous savez, il y a plein de vieux pêcheurs dans le village…

— Paul, le vieux pêcheur… il lui manque la rangée de dents du haut…

— Oh ! Ça m'aide beaucoup…

— Ah ! Il conduit la Zamboni !

— Monsieur, je ne connais pas la marque de voiture de tous les Paul de Trois-Pistoles…

— Ben non, la Zamboni… La surfaceuse à l'aréna !

— …

— Paul, le vieux pêcheur, le chauffeur de la Zamboni… Il a eu un malaise sur le fleuve il y a quelques semaines…

— Ah oui ! Monsieur Paul Trottier ! Ben oui, Ti-Paul ! Tout le monde connaît Ti-Paul… Tout le monde parle de cette histoire depuis l'incident.

— Bon, on a notre homme. Paul Trottier… Est-ce que je peux parler à monsieur Paul Trottier?

— Monsieur Trottier a reçu son congé de l'hôpital trois jours après son arrivée.

— Fiou! Bonne nouvelle! Il est toujours en vie! Est-ce que vous pouvez me dire où je peux le trouver? Un numéro de téléphone, une adresse?

— Désolée, monsieur, ces informations sont confidentielles. Je dois vous quitter, j'ai un nombre élevé d'appels. Merci et bonne journée.

— Mais…

Clic.

Je regardai encore le gros combiné du téléphone, surpris par la fin brutale de ma conversation téléphonique avec la dame de l'hôpital.

Je crois que j'avais préféré ma conversation avec le répondeur.

Chapitre 24

Début août. Le son des vagues et l'air salin font maintenant partie de mon quotidien. Le bord du fleuve est devenu mon terrain de jeu depuis mon arrivée. Je me réveille au son des cris d'oiseaux et du va-et-vient des vagues qui effleurent les millions de roches. C'est bizarre, tout ça. Comme si mon corps et mon esprit s'étaient permis de ne faire qu'un avec mon environnement. Les couleurs de l'eau, des fleurs, des arbres, des roches. Tout cela me semble différent maintenant. Mon rapport avec mon environnement a changé. Peut-être «à cause de l'air salin» comme ma mère disait ou peut-être parce que ma tablette numérique ne me servait plus que d'appareil photo. Sans connexion Internet, mon intérêt pour elle avait complètement disparu. Tous les matins, je m'installai sur la terrasse muni d'un livre ou des BD qui traînaient dans la bibliothèque. Je dévorais chaque page que je lisais. Je ressentais aussi ce changement, peut-être aussi grâce à la nouvelle Connexion que j'utilisais. Celle que m'avait enseignée le vieux pêcheur et que j'avais pris l'habitude de faire le matin assis sur une roche face au fleuve. Durant ces moments, une sensation de légèreté et de calme m'emplissait. Un apaisement qui me permettait aussi d'être présent, comme m'avait sans cesse répété le vieux pêcheur. Présent à moi-même, aux autres et à mon environnement. J'avais pris l'habitude de méditer.

Tous les jours, même en l'absence de Paul, j'avais pris aussi l'habitude d'aller faire un tour au quai lorsque je voyais l'attroupement du réseau de vieux pêcheurs. Nous parlions de tout et de rien. Nous nous amusions à nous raconter des histoires, à parler de nos familles, de notre quotidien. J'avais le sentiment de connaître chacun d'entre eux. Le vieux Luc m'avait même offert une canne à pêche et un coffre rempli d'accessoires qu'il n'utilisait plus. De la couleur de leurs yeux à la marque de leur coffre à pêche aux prénoms de leurs enfants, j'étais conscient de tous ces détails qui m'entouraient. Dans les semaines qui suivirent le malaise de Paul sur le fleuve, j'avais appris à connaître ses amis et les voisins des chalets environnants. Bien humblement, je pense que je faisais partie de leur réseau maintenant. Je les connaissais vraiment. Je ne pouvais pas en dire autant de mes 894 amis sur le réseau social Facebook.

Chapitre 25

Troisième semaine d'août, quelques jours encore et les vacances allaient se terminer. Nous n'avions toujours pas de nouvelles de Paul, mais tous répétaient sans cesse :

— Pas de nouvelles, bonnes nouvelles !

C'était leur façon de ne pas trop s'inquiéter pour leur ami.

Ce lundi matin, je décidai d'apporter ma tablette numérique au quai. Depuis bientôt trois semaines, elle traînait dans le fond du tiroir de ma table de chevet. J'avais une idée en tête.

Tablette dans la main droite et canne à pêche dans la gauche, j'arrivai au quai. Le traversier venait d'arriver amenant son lot de voyageurs qui débarquaient en ville. Une file de voitures attendaient pour l'embarquement, leurs passagers accotés sur le remblai de ciment à regarder la parade de véhicules toucher terre.

J'arrivai à la hauteur du réseau de vieux pêcheurs.

— Salut les *boys*! Ça va?

— Ouais, ça va! répondit le groupe à l'unisson.

— Et puis? Ça mord aujourd'hui?

— Bof, pas fort, répondit Mathieu.

— T'as apporté ta tablette, aujourd'hui? Tu sais bien qu'il n'y a pas de réseau ici…

— Ben oui, il y en a un, mais pas Wi-Fi… leur dis-je en souriant et hochant la tête en leur direction.

— Je l'ai apporté aujourd'hui, car je voulais vous montrer quelque chose qui pourrait vous intéresser…

— Sérieux? Encore des madames pas trop habillées? dit Marc en partant à rire aux éclats.

— Eh oui! C'est exactement ça, Marc!

Les vieux pêcheurs lâchèrent leurs cannes, et en moins de deux, ils étaient attroupés au-dessus de mes épaules, leurs cous allongés. Sans même les aviser, j'appuyai sur le rond rouge «Play» sur ma tablette et une vidéo démarra… *Full screen*. Plein écran.

On pouvait voir une femme aux cheveux longs et bruns, près d'une rivière, canne à pêche à la main, vêtue d'un bikini rouge à pois blancs et de bottes de caoutchouc qui lui montaient jusqu'aux genoux. Elle saluait de la main la caméra qui la filmait, tout sourire.

Durant le visionnement, pas un seul mot ne sortit de la bouche des vieux pêcheurs. On aurait dit que le temps s'était arrêté pour eux. Soudainement, à la fin de la courte vidéo, une vague d'enthousiasme et de rires retentit.

— Pouah! Ha! Ha! Ha! Ho! Ho! Ho! Ha! Ha! Ha!

— Ce n'est pas vrai! Comment tu dis encore, le jeune? LOL? Ha! Ha! Ha!

La meute de vieux pêcheurs était en délire. Tous, sauf Marc qui regardait encore l'écran de ma tablette malgré la fin de la vidéo.

— Marc! Marc! Marc! Marc pêche en bobettes! scanda le groupe maintenant.

— Ben là... Ça ne se peut pas... où t'as pris ça, le jeune? me demanda Marc, complètement découragé par ce qu'il venait de voir.

— Ben, sur le fleuve, lors de ma visite aux bélugas, un ami à moi avait mis en ligne cette vidéo... et je l'ai téléchargée en pensant à toi!

— Marc ! Marc ! Marc ! Marc pêche en bobettes !
répéta sans arrêt le groupe de vieux amis.

Devant l'enthousiasme de ses amis et la promesse
qu'il avait faite au début de l'été, il leva la main pour
faire taire ses camarades et dit :

— Bon, comme je suis un homme de parole, je vais
remplir ma promesse… malgré le fait que le quai soit
bondé de monde !

Sans tarder, il prit la direction de la cabine de toilette
située au bout du quai près de la cabane du contrôleur de
billets et parla quelques secondes à celui-ci.

— Écoute, là, j'ai perdu une « gageure ». N'appelle
pas la police. Je vais aller pêcher quelques minutes en
bobettes près de mes amis. Dis-toi que c'est comme si
j'étais en costume de bain, expliqua-t-il nerveusement au
contrôleur avant d'entrer dans la cabine de toilette bleue
et chimique.

Soudain, nous savions qu'il était sorti en sous-
vêtement… Des éclats de rire et des klaxons retentirent
au quai, et des dizaines de téléphones cellulaires et
de tablettes numériques s'élevèrent dans le ciel pour
immortaliser l'événement. Dans l'heure qui suivit, il
devait sûrement avoir reçu des centaines de « J'aime »
et de partages sur Facebook…

Chapitre 26

C'était notre dernier souper au chalet du chemin du Havre. Mon père, ma mère et moi avions ramassé tout ce qui devait revenir en milieu urbain. Vêtements, accessoires, tout. Les valises et les boîtes étaient déjà dans le coffre de l'auto. Nous étions presque prêts à faire le trajet inverse menant à la maison. Question de ne pas trop faire de vaisselle, mon père avait proposé d'aller chercher une bouffe à la Cantine d'Amours près de l'église Notre-Dame-des-Neiges de Trois-Pistoles. Des hamburgers et hot dogs «complets», comme c'est inscrit sur le menu. Des hamburgers et hot dogs garnis, mais, en prime, agrémentés de frites maison à l'intérieur. Je vous le dis, de loin les meilleurs burgers et hot dogs au monde! Ce n'est pas de la petite *junk* de la chaîne du clown rouge avec un gros M jaune.

Déjà, vers 20 h 30, nous étions attablés à savourer notre repas sur la terrasse donnant face au fleuve. Vin blanc, chardonnay Mer Soleil bien frais pour mes parents, ils s'étaient gâtés pour la dernière soirée, et thé glacé pour moi. Le soleil et le fleuve nous offraient encore un spectacle hallucinant, comme tous les soirs. Du rose au mauve en passant par le rouge, le ciel s'animait devant nous. Ce paradis coloré se reflétait dans l'eau et nous donnait l'impression qu'il était sans fin. Je me surprenais à l'observer pendant de longues minutes sans même cligner des yeux. Ce spectacle, devant moi, avait un pouvoir hypnotique.

J'étais aussi ébahi par quelque chose que je n'avais pas l'habitude de faire auparavant. À la table, je me surprenais, depuis quelques semaines, à participer aux discussions avec mes parents! À interagir avec eux et à rire aux éclats. En fait, depuis notre arrivée ici, au chalet du chemin du Havre, j'avais pris l'habitude d'être présent à mes parents. D'être présent au repas. Non seulement de participer à la discussion, d'échanger sur ce que j'avais fait durant la journée, mais aussi de goûter la nourriture. Goûter la subtilité des saveurs qui se retrouvaient dans mon assiette. Sentir le parfum et l'arôme du vin (je n'en buvais pas encore, mais j'aimais mettre mon nez dans le verre de mes parents comme eux le faisaient). Tout cela était nouveau pour moi. En temps normal, toute mon attention aurait été portée sur l'écran de ma tablette qui m'aurait accompagné durant le repas. Un tête-à-tête qui excluait la présence de mes parents et de tout ce qui m'entourait. Mais, en cette fin des vacances, tout avait bien changé. J'avais subi sans le vouloir une cure de désintoxication de ma tablette numérique. Autant elle me manquait au début des vacances, autant je pouvais maintenant m'en passer des journées entières. Le sevrage avait été long, mais ma dépendance avait diminué, et même presque disparu.

Après notre repas, j'annonçai à mes parents que j'allais faire un dernier tour de piste au quai avant de retourner à la maison. Je voulais me faire une dernière image mentale du décor et m'imprégner de l'ambiance dans laquelle j'avais baigné durant les deux derniers mois. Ma mère me tendit le « sac à vidanges » rempli d'assiettes de carton, de fourchettes et de couteaux de plastique et la bouteille de vin à mettre au recyclage en me spécifiant :

— Ne tarde pas trop, mon Chat, il faut trouver Jules avant de partir. Il est dans les bois devant le chalet...

Sac à vidanges et bouteille de vin à la main, je pris mon sac à dos qui traînait près de la porte d'entrée et sortis du chalet. J'enjambai les marches de pierres, deux par deux, pour atterrir sur l'asphalte du chemin du Havre et déposer le tout dans les bacs respectifs. La noirceur commençait déjà à s'installer. Je repris le chemin, que j'avais tant arpenté durant l'été, et je regardai les chalets qui longeaient le chemin. J'y voyais les gens à l'intérieur s'affairer à faire des boîtes et à remplir le coffre de leur voiture de leurs valises estivales. C'était la fin des vacances. C'était amusant, je pouvais nommer le nom de chaque personne que j'avais croisée durant l'été. Non seulement je pouvais dire son nom, mais son emploi, sa passion, sa manie. J'avais su, en quelques semaines seulement, apprendre à écouter les gens, à être attentif à eux, à être pleinement conscient de ce qu'ils étaient quand je les croisais. Ici, dans ce petit village du Bas-du-Fleuve, les Pistolois ont quelque chose de typique que nous retrouvons dans la plupart des villes, loin du milieu urbain. Le temps est au ralenti. Les gens prennent le temps. Ils prennent le temps de se parler. Ils se permettent d'écouter, de savourer le moment. Ils s'intéressent à l'autre. Que ce soit à l'épicerie, au centre commercial, au casse-croûte, à l'atelier de réparation de vélos, sur un banc de parc. Partout. Les gens sont «connectés», comme dirait Paul.

Au quai, une douce lumière émanait du lampadaire exactement à l'endroit où le groupe de vieux pêcheurs et moi avions l'habitude de nous installer pour pêcher. Je marchai donc jusque-là et m'assis sur le rebord du quai. La marée était haute ce soir-là et j'entendais les vagues frapper le mur à dix mètres sous mes pieds. Je me fis la réflexion que tout cela allait me manquer. La bande de pêcheurs. Le vieux pêcheur Paul que je n'avais pas revu. L'air salin aussi. Le son du fleuve. La chaleur des gens d'ici. Les couchers de soleil. Le calme que me procurait la nature. Les plus vieux parlent souvent de la nostalgie du bon vieux temps. Je pense maintenant comprendre ce que c'est. Au même moment où je me fis cette réflexion, je vis apparaître, au large, un ami que j'avais vu tant de fois durant l'été. Le Grand Héron, les ailes déployées, volait en ma direction, frôlait l'eau de ses grandes pattes. Il vint se déposer à une dizaine de mètres de moi.

— Wow ! Il est aussi majestueux de fois en fois, me dis-je en prenant soin de ne pas faire de bruit.

Sans bouger d'un poil, j'observai mon ami l'oiseau à grandes pattes et au long cou s'avancer tranquillement, reproduisant son rituel de casse-croûte. En fait, tout avait commencé par lui. Le Grand Héron. Le Grand Héron conscient de son environnement...

En l'observant en silence, l'idée me vint d'immortaliser le Grand Héron. Il était le seul que je n'avais pas encore pris en photo. Je ne pouvais quitter le quai sans rapporter celui-ci en image... Sans faire de bruit, j'ouvris donc mon sac à dos et sortis ma tablette. Le grand oiseau était toujours là à chasser son repas. Au moment où j'allais peser sur le bouton d'allumage, j'entendis une voix derrière moi.

— Tu le sais bien qu'il n'y a pas de réseau Wi-Fi sur le quai, le jeune !

Mon cœur s'arrêta sec. Je reconnus cette voix.

— Paul ! Mon ami Paul ! Quelle surprise ! criai-je en lui sautant dans les bras.

— Comment vas-tu ? On s'inquiétait pour toi ! Vous étiez où ? Vous avez manqué Marc en bobettes, au quai...

Le vieux pêcheur était là ! Debout, devant moi. Son gros coffre à pêche, sa chaise et sa canne à pêche dans les mains. Il avait garé son camion rouge au bout du quai et avait marché vers moi sans faire de bruit. Il venait faire de la pêche de soir, sûrement.

— Pas trop vite, le jeune… Oui, bien, bien, je vais bien. Les médecins m'avaient formellement interdit de faire toute activité nécessitant de l'effort et pas question de conduire mon camion ou la Zamboni. Pas de bateau, pas de pêche, pas de longue marche… Alors, c'est pour cette raison que je n'ai pas mis les pieds au quai depuis. La côte de la rue du Parc est longue à monter à mon âge… Eh oui, Marc en bobettes, tout le village en parlait. Ma femme avait entendu l'histoire l'autre soir à la fromagerie des Basques. Mais toi ? poursuivit-il en pointant ma tablette numérique en main, l'air interrogateur.

— Ah ! Ça ! Ce n'est pas ce que vous pensez… Je voulais prendre des photos de notre grand ami pêcheur aux longues pattes… Juste quelques-unes… Je vais pouvoir les regarder cet hiver et me rappeler tout ce que j'ai vécu durant les sept semaines passées ici… C'est un peu grâce à lui si je suis connecté maintenant.

Pendant que je faisais défiler la panoplie de photos de mon album de l'été que j'avais monté, cherchant à lui montrer une photo de Marc en bobettes, le vieux pêcheur déposa son coffre à pêche et l'ouvrit.

— Écoute, le jeune, il y a quelque chose que je voudrais te dire avant que tu partes, me dit-il en sortant quelque chose de son coffre et le cachant derrière son dos.

— Hein, quoi ?

— Voilà… Je voulais te montrer…

Lentement, il sortit les mains de son dos et brandit…

— Une tablette numérique ! lançai-je, stupéfait.

Estomaqué, la bouche entrouverte, mes seuls mots furent :

— Un iPad ? Vous, Paul ? L'apôtre Paul qui m'a répété les vices de ce démon numérique ? Vous ?

— Ben quoi ? Faut être de son époque ! Pis, je n'ai jamais dit qu'il fallait cesser l'évolution des nouvelles technologies. Au contraire, faut apprendre à « vivre avec » et avoir un équilibre dans leur utilisation.

— Ben bravo ! Vraiment, je suis fier de vous ! Vous me surprenez encore ! Sacré Paul… Vous avez acheté une tablette numérique…

— Honnêtement, pour tout te dire, c'était la tablette numérique de mon fils, Henri, poursuivit le vieux pêcheur sur un ton solennel.

— Votre fils ? C'était à votre fils ?

— C'était à mon fils…

— Mais, vous parlez de lui à l'imparfait.

Paul prit quelques secondes, le regard baissé, puis dit :

— Mon fils Henri a été victime d'un accident de voiture il y a déjà deux ans de cela. Il avait vingt ans. Ton âge ! Il est décédé sur le coup. Un jeune chauffard qui textait au volant sur son téléphone portable l'a frappé de plein fouet en sens inverse…

— Ouf… Je suis vraiment désolé. Je peux ressentir votre douleur.

— Merci.

— Tout s'explique maintenant… Pourquoi vous êtes si sensibilisé à notre relation au numérique… Le manque de connexion aux autres… à l'environnement…

— Je ne peux rien te cacher, Christian, dit le vieux pêcheur en soupirant.

Il poursuivit rapidement comme pour changer de sujet et me dit en brandissant la tablette dans sa main :

— Mais… enfin, je vais pouvoir connaître les heures de marée, les prévisions météo… et communiquer avec toi par courrier !

— On dit « courriel ». Ou *mail*, en France, lui dis-je en souriant. Aussi, on pourrait faire des vidéoconférences… par Skype !

— Mais, pour ça, écris-moi ton adresse «courriel», comme tu dis, s'il te plaît. Je ne suis pas encore très familier avec les doigts sur l'écran. La tablette traîne chez moi depuis deux ans. Je manque d'entraînement!

— Mais ça va vous prendre un réseau, Paul. Avez-vous pensé à ça?

— Je vais encore te surprendre, le jeune, j'ai appelé la compagnie d'Internet et ma ligne est déjà installée à la maison. J'ai eu le temps de tout faire ça durant ma convalescence.

— Une ligne au quai, une ligne à la maison…

— LOL! me répondit-il en souriant de tout son dentier tandis que je le regardais, incrédule.

Le temps filait et j'anticipais déjà ma mère qui allait arriver au quai d'une minute à l'autre, Jules entre les mains, en me faisant signe de revenir au chalet pour notre départ.

— Je dois partir, Paul. Mes parents m'attendent à l'auto, sûrement. Mon retour en classe se fait dans quelques jours.

— Oui, le retour à la vie normale, à la routine. À tes vieilles habitudes.

— Oui, je sais.

— Rappelle-toi juste que la Connexion humaine est plus forte que tout le reste.

Il pointa son index gauche vers ma poitrine et appuya doucement.

— Ton Wi-Fi intérieur est toujours connecté. Écoute-le. Il ne se trompe jamais…

Le vieux pêcheur s'approcha de moi et me tendit la main droite. Nous nous serrâmes la main pendant au moins une bonne minute en nous regardant dans les yeux et en nous souriant. Nous étions présents l'un à l'autre. Intérieurement, je ne cessai de le remercier pour tout ce que j'avais vécu et appris ici, au quai. Mais surtout, je le remerciai pour le cadeau qu'il m'avait transmis. Une Connexion à la pleine conscience. Une Connexion à ma pleine présence. Illimitée.

Mon été au quai avait certainement changé quelque chose en moi. Je me sentais davantage conscient de tout ce qui m'entourait. Autant à l'extérieur qu'à l'intérieur de moi. Ma vie ne serait plus la même maintenant. J'avais conscience que la Vie avec un grand V était plus forte et plus grande que la vie virtuelle. Mes parents, eux aussi, avaient changé. Leur rythme de vie avait ralenti et ils s'étaient retrouvés. Leur couple avait une nouvelle énergie. Je pouvais le voir par les étincelles dans leurs yeux lorsqu'ils se regardaient. Eux aussi n'avaient pas eu accès à une connexion Internet de l'été.

De retour sur le chemin du Havre, en direction du chalet, je pouvais entrevoir les phares de la voiture qui étaient allumés. Mes parents rentraient les dernières boîtes dans le coffre arrière de l'auto. J'arpentais pour la dernière fois le chemin du Havre, encore parsemé de mille et une roches. Roches que moi-même j'avais laissé choir au fil des semaines.

Je vis un halo de lumière, sorti de nulle part, qui bougeait dans tous les sens à quelques mètres de moi. Je m'approchai tranquillement de ce bizarre de phénomène quand la voix «muante» d'une adolescente retentit du halo lumineux :

— Euh, salut! Excuse-moi, est-ce que tu sais où je peux trouver un réseau? me demanda la jeune qui venait d'arriver sur le chemin du Havre pour la dernière semaine de vacances d'août.

— Un réseau? Attends… Laisse-moi penser, lui dis-je en me grattant le menton.

— Oui! Un réseau… me répéta-t-elle en levant sa tablette numérique vers moi.

— Un réseau? Si j'y pense bien, je crois que tu vas pouvoir en trouver un… Au quai! Oui, au quai! C'est ça!

— *Yes!* Au quai?

— Marche jusqu'à la maison orange au coin du chemin du Havre, tourne à gauche à l'arrêt et continue jusqu'au bout. Là, tu devrais trouver un réseau.

— Enfin, je vais pouvoir me connecter... Merci ! me répondit-elle en partant à courir vers le quai.

— Oui, oui, j'en suis convaincu... Tu vas pouvoir enfin te connecter, me fis-je la réflexion... Trouver ta vraie Connexion.

Chapitre 27

Finalement, ma mère avait eu raison. Un été au quai leur avait permis de rajeunir de vingt ans.

Par contre, elle avait eu tort dans mon cas… Au fond de moi, je sentais que j'avais vieilli de vingt ans.

MARQUIS

Québec, Canada